Pour notre si précieuse Jane Doerin....
amie tonique, s'il en fût. (comme .... cent
.avec la sincère amitié   du même nom....!)
de tout son cœur —

Colette   Yosepha-Heck
                                    Danièle
Dominique anne   MarieClaude
                        monique
        Martha
    au plus spirituel professeur Galy
                                    Jane   Mouna
    d'anglais.

                        Louise-Marie-Suzanne

                Annie
                "l'irremplaçable"

Angers. ce 6 Janvier 1978.

LES TRÈS RICHES HEURES

du
Duc de Berry

Avant-propos de
CHARLES SAMARAN
Membre de l'Institut

Introduction et légendes de
JEAN LONGNON
et RAYMOND CAZELLES

MUSÉE CONDÉ, CHANTILLY

Reproduction d'un manuscrit enluminé appartenant au Musée Condé,
Chantilly, France
Édition originale publiée aux États-Unis par George Braziller
Imprimé en France par Draeger
© DRAEGER ÉDITEUR 1969

AVANT-PROPOS

" Introduction ", " Préface ", qui pourrait croire que notre grand Littré donne de ces deux mots la même définition anodine : discours placé en tête d'un livre, pour le premier, d'un ouvrage pour le second ?

Et puisque ce " discours " – nous dirions aujourd'hui " étude introductive " – est fait, et bien fait par les deux éminents conservateurs du Musée Condé, MM. Jean Longnon et Raymond Cazelles, que pourrais-je ajouter qui ne vînt à l'encontre du but souhaité : retarder le moins possible le plaisir du lecteur ?

Parlons donc ici, simplement, d'un avant-propos destiné, essentiellement, à remercier une fois encore le duc d'Aumale d'avoir ramené en France ce chef-d'œuvre, d'une valeur historique et artistique inestimable, et l'Institut de France qui depuis 1897 s'en est fait le gardien vigilant.

N'empêche qu'il était bon, qu'il était juste qu'avant même d'ouvrir le magnifique trésor d'images qui lui est offert aujourd'hui, l'amateur éclairé de notre temps sache comment, il y a plus de cinq siècles, le fastueux Mécène que fut Jean de Berry, frère du roi Charles V, sut garder au fond du cœur, en dépit des heures mouvementées qu'il vécut et des dures épreuves qu'il subit, un amour inné des choses de l'art et de l'esprit.

N'empêche aussi que cet amateur, voire ce simple curieux ne pourra qu'éprouver un plaisir de choix à savoir comment et par quels artistes furent exécutées jour après jour - et le travail dura longtemps - ces Très riches Heures, *en lesquelles il est permis de voir les prémices de la peinture moderne : véritables tableaux de chevalet à pleine page, mais aussi lettrines, rinceaux, encadrements où se déroulent dans une alternance ravissante, sur des fonds de paysages aux couleurs dégradées, les scènes de cour dans les châteaux des bords de Seine ou de Loire, et aussi, ce qui nous touche peut-être plus encore, les travaux et les jours champêtres, dans leur diversité, relevée parfois, comme dans les imageries de nos cathédrales, par un détail quelque peu gaillard, à la française.*

Pour ma part, en voyant avec quelle maîtrise sont reproduits ici tous les détails de ce manuscrit fameux, je ne puis m'empêcher de songer à certains autres de ces chefs-d'œuvre dont nous n'avons plus que des images dérisoires, parce que les techniques photographiques, si poussées aujourd'hui, n'existaient pas ou étaient encore dans l'enfance à l'époque où ils nous ont été enlevés : Jardin des délices (Hortus deliciarum) *d'Herrade de Landsberg, détruit par le bombardement allemand de Strasbourg en 1870,* Heures de Turin *disparues en 1904 dans l'incendie de la bibliothèque de cette ville.*

A nous par contre, mortels heureux entre tous les mortels, est donné cette joie unique de feuilleter, sans quitter notre fauteuil, des Très riches Heures *si semblables à celles de Chantilly que nous ne savons plus, de l'œuvre originale ou de sa copie, laquelle présente à nos yeux éblouis des bleus plus limpides, des rouges plus rutilants, des ors plus lumineux.*

Merci donc à la technique moderne, et spécialement aux presses de la maison Draeger, qui nous valent ce miracle, dont nous ne leur serons jamais assez reconnaissants.

Charles SAMARAN

INTRODUCTION

Jean, duc de Berry, né le 30 novembre 1340, au château de Vincennes, était le troisième fils du roi de France Jean le Bon, le frère du roi Charles V, du duc Louis d'Anjou et du duc de Bourgogne, Philippe le Hardi, l'oncle enfin du roi Charles VI et du duc Louis d'Orléans. En 1360, il avait reçu en apanage les duchés de Berry et d'Auvergne, auxquels Charles V ajouta, en 1369, le Poitou, que le duc de Berry venait de reconquérir sur les Anglais. Fils, frère et oncle de rois de France, il joua un rôle politique dans la seconde partie de sa vie, particulièrement durant les dissensions que favorisa la folie de Charles VI. Animé par un esprit naturellement conciliateur, il rechercha avant tout trois choses auxquelles il consacra ses talents diplomatiques : négocier avec l'Angleterre, mettre fin au Grand Schisme qui divisait la chrétienté d'Occident, et rétablir dans le royaume la paix sans cesse troublée par la rivalité des maisons de Bourgogne et d'Orléans.

L'assassinat de Louis d'Orléans (1407) et les ambitions de Jean sans Peur l'obligèrent à prendre parti. Dès lors, il fut considéré comme le chef des " Armignacs ", détestés du peuple de Paris : en 1411, l'hôtel de Nesle, sa résidence dans la capitale, fut saccagé et son château de Bicêtre, pillé et incendié; l'année suivante, il fut assiégé dans Bourges par les Bourguignons; et en 1413, devant les excès du mouvement cabochien, il dut chercher refuge au cloître Notre-Dame. A peine avait-il repris le dessus que ce fut de nouveau la guerre avec l'Angleterre et le désastre d'Azincourt (1415). Cette funeste bataille, où la plupart des grands seigneurs furent tués ou pris et où deux de ses petits-fils, particulièrement chers, Charles d'Orléans et le comte d'Eu, furent faits prisonniers, vint assombrir ses derniers jours. Il mourut le 15 juin 1416, en son hôtel de Nesle. Il convenait de rappeler ces faits pour montrer dans quel climat d'agitation, de troubles et d'épreuves le duc de Berry sut maintenir son mécénat fécond et permettre à Paul de Limbourg d'enluminer avec ses frères les *Belles Heures* et les *Très riches Heures*.

Possesseur d'une grande partie de la France centrale, gouverneur de Languedoc à plusieurs reprises, le duc de Berry en tirait des ressources importantes qui suffisaient à peine aux énormes dépenses dues à son faste extraordinaire. Il avait

5

l'amour des somptueux édifices, des riches joyaux, des livres enluminés. Protecteur des artistes, avec qui il aimait à s'entretenir, collectionneur passionné, il fut proprement un mécène, suscitant les œuvres d'art. Il ne possédait pas moins de dix-sept palais, châteaux ou hôtels, entre lesquels il partageait sa vie et dont quelques-uns revivent dans les *Très riches Heures*. Il allait de l'un à l'autre, emmenant les gens de sa maison, son chapelain, son peintre, comme on voit dans des miniatures des *Belles Heures* et des *Petites Heures,* transportant même ses tapisseries historiées pour en orner les murs de sa nouvelle résidence. Là il recevait magnifiquement ses parents et ses familiers, servis par ses échansons, panetiers, écuyers tranchants, comme on peut voir dans la peinture du mois de janvier.

Grand bâtisseur, il avait doté ses trois capitales de monuments dignes d'elles et de lui, construisant un palais et une Sainte-Chapelle à Bourges et à Riom, embellissant le palais de Poitiers et restaurant le château du Clain, achevant la façade de la cathédrale de Bourges. Rajeunissant des châteaux ou en construisant de nouveaux, il s'était assuré une série de belles résidences à travers la France : Nonette en Auvergne, Lusignan en Poitou, Genouilly et Concressault en Berry, Gien, Montargis, Étampes et Dourdan entre Loire et Seine. Ses demeures les plus célèbres étaient l'hôtel de Nesle, à l'extrémité ouest de Paris, sur la rive gauche, en face du Louvre, le château de Bicêtre au sud de Paris, et celui de Mehun-sur-Yèvre à quatre lieues de Bourges; toutes trois étaient réputées pour leur beauté et leur magnificence. Pour la plupart de ses édifices, dont le duc de Berry surveillait avec soin les travaux, son maître d'œuvres fut Guy de Dammartin qui sut allier la grâce de la décoration dans les parties hautes à la grandeur imposante de l'ensemble.

Jean de Berry aimait la compagnie des artistes qu'il employait. Froissart nous le montre à Mehun-sur-Yèvre devisant avec son maître des œuvres de sculpture et de peinture, André Beauneveu, au sujet de nouvelles statues et peintures à faire. Aux architectes, aux peintres-décorateurs, aux enlumineurs il devait faire ainsi des suggestions. Une certaine familiarité régnait entre lui et ces artistes qu'il patronnait et protégeait. S'il les gratifiait volontiers, on les voit parfois lui offrir de leur côté des étrennes. Ainsi le peintre Jean d'Orléans lui donne, en 1408, " une belle pomme de musc ", s'ouvrant par le milieu et peinte à l'intérieur. De même, nous verrons Paul de Limbourg lui faire, en 1410 et en 1415, de semblables cadeaux. Guy de Dammartin et son frère Dreux, André Beauneveu, son disciple Jean de Cambrai qui exécuta le gisant du tombeau ducal, Jacquemart de Hesdin, qui enlumina les *Petites Heures,* Paul de Limbourg et ses frères furent ainsi les familiers et les protégés du duc de Berry. Et on vit, en 1393, Claus Sluter et le peintre Jean de Beaumez venir à Mehun " visiter certains ouvrages de peintures et d'images " en vue des travaux que le duc de Bourgogne, Philippe le Hardi, voulait faire exécuter à Dijon.

Le duc de Berry avait la curiosité de tout et désirait posséder ce qu'il avait remarqué : c'était un collectionneur-né. Il aimait à acheter, recevoir et aussi donner, quitte à racheter ou à reprendre s'il avait quelque regret. Entre autres choses, il s'intéressait aux animaux exotiques. Il possédait ainsi autruche, dromadaire, chamois, ours : on ne s'étonnera donc pas de voir des chameaux figurer dans la *Rencontre des Mages* et dans l'*Adoration des Mages*. Pour chacune de ses bêtes, il avait un gardien; et celui des ours surveillait ses bêtes dans les déplacements où ils accompagnaient leur maître. Il y avait aussi une gardienne pour les petits chiens, des loulous de Poméranie, que l'on voit se promener sur la table où le duc de Berry reçoit au mois de janvier.

C'étaient surtout les joyaux et les œuvres d'art qui le passionnaient et qu'il recherchait avidement. Les marchands, principalement italiens ou juifs, étaient au courant de ses goûts et venaient lui présenter les pierres les plus rares. Il ne possédait pas moins de vingt rubis, de qualité exceptionnelle : c'était la plus belle collection de son temps et peut-être de tous les temps; nous ne connaissons le poids que de deux d'entre eux : l'un d'eux pesait 240 carats. Les pièces d'orfèvrerie religieuse qui figurent dans ses inventaires et qu'il donna pour la plupart à la Sainte-Chapelle de Bourges étaient d'une richesse extraordinaire : croix, calices, tableaux d'autel, reliquaires en or, rehaussés de pierreries. Quand on lit ses inventaires, on est frappé du nombre prodigieux de pièces magnifiques qu'ils mentionnent : tapisseries historiées et tapis armoriés, broderies de Florence ou d'Angleterre, draps d'or de Lucques, chambres de soie, émaux, porcelaines, vaisselle et couverts d'or et d'argent. Toutes ces choses témoignent du luxe inouï dans lequel vivait le duc de Berry.

Il aimait passionnément les beaux livres. Il en achetait, il en faisait faire, on lui en donnait, connaissant ses goûts; et parfois il en donnait. Sa " librairie " était loin d'être aussi importante que celle qu'avait constituée au Louvre son frère, le roi Charles V; mais la qualité de ses manuscrits était telle qu'on a pu dire qu'il était le prince des bibliophiles français. A peine était terminé un livre dont il avait suivi avec amour l'exécution, qu'il en commandait un autre : c'est notamment l'histoire de ses livres d'heures. Il choisissait pour les enluminer les artistes les plus célèbres : André Beauneveu, Jacquemart de Hesdin, Paul de Limbourg et ses frères. Son goût ne se portait pas seulement sur les volumes enluminés en France : il en possédait aussi qui venaient d'Italie et que l'on disait " historiés de l'ouvrage de Lombardie " ou " de l'ouvrage romain ". Il avait d'ailleurs comme bibliothécaire un enlumineur milanais, Pierre de Vérone, qui, venu en France pour y vendre des livres, était resté au service du duc de Berry. Les volumes étaient aussi richement reliés qu'enluminés : reliures de soie ou de velours, parfois de cuir rouge, aux fermoirs d'or ou d'argent doré, rehaussés d'émaux, de perles ou de pierres précieuses ; ils étaient souvent munis de petites tiges de métal précieux appelées *pipes,* servant à tenir les signets et ornées, comme les fermoirs, de pierres fines ou de perles.

La composition de sa bibliothèque nous fait connaître vers quoi se portait la curiosité d'esprit du duc. Parmi les livres profanes, les plus nombreux étaient les ouvrages historiques : les chroniques étaient au nombre de quarante et une. Venaient ensuite trente-huit romans de chevalerie. Ce prince, curieux des choses du monde et de la nature, possédait encore le livre de Marco Polo, *l'Image du monde* de Gossuin, le traité *Du Ciel* d'Aristote, le *Livre de la Sphère* de Nicolas Oresme, la *Fleur des histoires de la terre d'Orient* et trois mappemondes, dont une " bien historiée " ; il avait aussi un *Livre de divination* et un traité d'astrologie, *Des sept planètes.*

La catégorie la plus importante était les ouvrages religieux, particulièrement les livres de prières : il possédait, en effet, quatorze bibles, seize psautiers, dix-huit bréviaires, six missels et quinze livres d'heures qui comprennent les plus beaux de ses manuscrits.

Les livres d'heures étaient des livres de prières destinés à l'usage privé. Le nom vient des textes des offices à lire ou à réciter aux différentes heures de la journée, mais ils ne comprennent pas que cela. Ils s'ouvrent généralement sur un calendrier. Les Heures proprement dites de la Vierge, de la Croix, du Saint-Esprit et de la Passion sont ensuite réparties entre des extraits des Évangiles, des oraisons, des exercices de dévotion pour les jours de la semaine ; on y trouve aussi les Psaumes de la pénitence, les Litanies des saints et les messes de certaines fêtes.

Si les *Très riches Heures* peuvent être considérées comme le plus beau de tous les livres d'heures du duc de Berry, celui-ci en possédait d'autres, également magnifiques. Il détenait plusieurs livres d'heures exécutés pour des membres de sa famille, comme les *Heures de Jeanne d'Évreux* enluminées par Pucelle ou les *Heures dites de Savoie,* commencées dans l'atelier de Pucelle, terminées au temps de Charles V et qui ont péri en 1904 ; il n'en reste qu'un fragment dans

8

la bibliothèque de l'évêché de Winchester. Mais le duc Jean ne s'était pas contenté de ces livres de style déjà ancien et il avait chargé des peintres contemporains d'historier pour lui de nombreux livres de dévotion auxquels les inventaires des collections du duc donnent déjà des qualificatifs particuliers pour les distinguer les uns des autres.

Les *Petites Heures,* (manuscrit latin 18014 de la Bibliothèque nationale) auraient été exécutées avant 1388, à l'exception d'une miniature ajoutée par les Limbourg représentant le duc de Berry partant en voyage. Cinq peintres au moins, suivant Millard Meiss, y auraient collaboré : Jacquemart de Hesdin et quatre maîtres dont les noms sont inconnus.

Les *Grandes Heures,* dont les dimensions surpassent les autres livres d'heures du duc de Berry, se trouvent aussi à la Bibliothèque nationale (manuscrit latin 919). Elles auraient été enluminées principalement par un des artistes inconnus qui ont collaboré aux *Petites Heures :* le Pseudo-Jacquemart. Mais le manuscrit fut achevé en 1409 par d'autres maîtres : le maître des *Heures du duc de Bedford* et un peintre de l'atelier du maître des *Heures du maréchal de Boucicaut.*

Les *Belles Heures* du duc de Berry sont aujourd'hui au Musée des Cloîtres de New York après avoir fait partie de la collection du comte de Saint-Mauris, puis des barons de Rothschild. Elles portent l'ex-libris du duc de Berry de la main de Jean Flamel. Il est admis qu'elles ont été enluminées par les frères de Limbourg, quelques années avant les *Très riches Heures,* sans doute de 1410 à 1412, car elles figurent dans l'inventaire de janvier 1413.

Les *Très belles Heures,* qui se trouvent aujourd'hui à la Bibliothèque royale de Belgique, ont été peintes pour le duc de Berry sous la direction de Jacquemart de Hesdin. Le prince donna le manuscrit, en 1402, à son frère, le duc de Bourgogne, Philippe le Hardi, et on le rencontre dans un inventaire dressé après la mort de Jean sans Peur, en 1419, et dans un autre inventaire des collections de sa veuve, Marguerite de Bavière. Les *Très belles Heures* étaient alors dans une reliure de soie munie de deux fermaux d'or aux armes du duc de Berry. On perd ensuite leur trace jusqu'en 1840, date à laquelle elles appartiennent à la collection du chevalier Marchal. Malgré cette importante lacune et quelques opinions divergentes, il semble que l'identification du manuscrit de la bibliothèque de Bruxelles et de celui porté à l'inventaire de 1402 ne fasse pas de doute.

Le manuscrit des *Très belles Heures de Notre-Dame* a une histoire plus compliquée. Il fut commencé aux environs de 1384 par un peintre très proche du maître qui exécuta le *Parement de Narbonne,* aujourd'hui au musée du Louvre. Inachevé, peut-être à la suite de la mort de cet artiste, il fut remis en chantier de 1405 à 1409, par un enlumineur ayant subi l'influence d'André Beauneveu et par les Limbourg qui peignirent trois pages. Non terminé encore, il figure dans l'inventaire de 1413 de Robinet d'Étampes qui le divise en deux peu après cette date. Robinet conserve la partie dont l'ornementation était achevée. L'autre partie sort des collections du duc et entre dans celles de la maison de Bavière-Hollande qui emploie à son achèvement les frères Van Eyck. Cette partie des *Très belles Heures de Notre-Dame* fut encore divisée en deux fragments dont l'un brûla en 1904 avec la bibliothèque de Turin et dont l'autre, appelé *Heures de Milan,* après avoir appartenu à la famille Trivulzio, se trouve maintenant dans la même ville de Turin où l'autre fragment avait péri, mais au Musée de la ville. Les *Très belles Heures de Notre-Dame* sont ainsi dispersées aujourd'hui entre la Bibliothèque nationale de Paris et les musées de Turin et du Louvre. Nous ne connaissons plus la partie incendiée que par les reproductions qui en ont été publiées dès 1902.

On ne saurait séparer de cette prestigieuse série de livres d'heures le très beau *Psautier* du duc de Berry (manuscrit français 13091 de la Bibliothèque nationale), dont les figures d'apôtres et de prophètes sont considérées comme de la main d'André Beauneveu, ce qui correspond à une mention de l'inventaire de 1402. L'illustration de ce psautier pourrait dater des alentours de l'année 1386.

Le manuscrit des *Très riches Heures* tel qu'il nous est parvenu, comprend 206 feuillets d'un vélin très bien apprêté et très fin. Ces feuillets présentent actuellement une hauteur de 290 millimètres et une largeur de 210 millimètres, mais les cahiers devaient, à l'origine, être légèrement plus grands, car on peut observer que certaines des miniatures de Jean Colombe, comme le *Christ de pitié,* entouré par le duc et la duchesse de Savoie, ou l'*Ascension,* ont été rognées par le relieur.

Le manuscrit est constitué en principe par la réunion de cahiers de quatre feuilles de parchemin pliées en deux, soit de huit feuillets. Mais les remaniements apportés au manuscrit ont parfois modifié le nombre des feuillets des cahiers. Des réclames placées au bas de la dernière page du cahier annoncent les premiers mots des cahiers suivants, de façon à éviter les erreurs de placement.

Les pages ont été réglées en rouge et des mentions en écriture cursive ont été tracées dans les marges pour indiquer au calligraphe le début de chacun des offices et de chacune des heures et afin de faciliter la mise en pages. Le calcul de cette mise en pages n'a pas été parfait et le calligraphe a été de temps à autre obligé de modifier le calibre de son écriture pour se tenir dans l'espace prévu.

On ignore le nom du calligraphe des *Très riches Heures* et l'on peut seulement noter qu'en 1413 le duc de Berry entretenait un " escripvain de forme " nommé Yvonnet Leduc. Comme dans tous les beaux manuscrits de cette époque, les majuscules initiales des lignes sont décorées et les bouts de ces lignes laissés vides sont remplis. L'écriture est la même du commencement à la fin du manuscrit, de même que les majuscules et les bouts de lignes, à l'exception de rares feuillets que les remaniements opérés au temps du duc de Savoie obligèrent à refaire. C'est le cas des feuillets 52 v° et 54 dont l'encre et le style détonnent sur les autres.

Le préparateur de la maquette a prévu l'emplacement des illustrations. Certaines sont de petites miniatures insérées dans le texte et destinées à recevoir l'indication du sujet qu'elles représentent. Ces légendes ont été écrites en lettres bleues et or jusqu'au feuillet 34; elles manquent ensuite. D'autres miniatures, de plus grand format, s'inscrivent dans un espace plus vaste, le texte ne comportant plus que deux colonnes de quatre lignes dans la partie inférieure. C'est le cas, par exemple, du *Couronnement de la Vierge*. Quand Jean Colombe est intervenu dans ces espaces, il a parfois conservé les quatre lignes de texte en deux colonnes, comme dans le second *Couronnement de la Vierge*, en débordant du cadre établi au temps du duc de Berry. Mais il lui est arrivé aussi de supprimer le texte et d'en réinscrire une partie sur la miniature elle-même. D'autres peintures occupent la totalité de la page, dès le temps du duc de Berry. C'est le cas des représentations du *Calendrier* ou de certaines images du cycle de la *Passion*.

Il existe en outre, reliées dans le manuscrit, plusieurs grandes peintures hors texte, dont certaines ont des sujets exceptionnels pour un livre d'heures : l'*Homme anatomique*, le *Paradis terrestre*, la *Chute des anges*, le *Plan de Rome*; tandis que d'autres sont de motifs plus habituels, tels que la *Rencontre* et l'*Adoration des rois mages* ou l'*Enfer*. Les intentions précises dans lesquelles ont été exécutées ces peintures restent assez mystérieuses. Elles n'ont pas été prévues dans la mise en pages originelle et elles ne furent insérées dans le manuscrit qu'après coup. On ignore à leur sujet les desseins véritables du duc de Berry.

En parlant de l'illustration des *Très riches Heures*, on ne saurait omettre les lettrines. Certaines d'entre elles sont de véritables petits tableaux ou paraissent être des portraits. Comme les miniatures, elles appartiennent pour partie à l'époque du duc de Berry et pour partie à celle du duc de Savoie. Les différences entre les deux séries sont marquées. Il en est de même des rinceaux qui accompagnent ces lettrines dans les marges et les colonnes centrales qui sont de deux types différents.

Sur les feuilles du manuscrit préparé et calligraphié, les miniaturistes ont exécuté leurs peintures. Ils commençaient par faire à la plume une légère esquisse; une semblable esquisse se voit encore sur une des pages (fol. 28 v°), dans la décoration marginale : cette décoration ne se trouvant pas achevée au moment de la mort des trois frères de Limbourg, le dessin n'a pas été entièrement recouvert par la peinture.

Venait ensuite le travail de peinture. Dans les grandes miniatures, il était commencé par le ciel et les fonds : paysage, monuments; puis on peignait les premiers plans, les personnages; et en dernier lieu, les têtes, les visages. Dans une peinture commencée par les trois frères, le mois de septembre, ils ont ainsi exécuté les deux tiers supérieurs : le ciel, le décor architectural du château de Saumur; la partie du bas, la scène des vendanges, avec les personnages, a été terminée par Jean Colombe. Dans une autre miniature inachevée mais poussée plus loin, la *Procession de Saint-Grégoire* (fol. 71 v°-72), les Limbourg ont exécuté toute la scène, sauf certaines des têtes, qui sont de la main de Jean Colombe, très reconnaissable.

Les couleurs employées par les miniaturistes étaient préparées dans l'atelier même. Elles étaient broyées à la molette sur un marbre, puis détrempées dans de l'eau gommée. Un agglutinant était en effet nécessaire pour assurer l'adhérence des couleurs au vélin et leur bonne conservation; cet agglutinant était soit de la gomme arabique soit, de préférence, de la gomme adragante. Les couleurs étaient en nombre relativement restreint, une dizaine, outre le blanc et le noir : deux bleus, trois rouges, un rose, deux jaunes, deux verts et un violet. Les unes étaient naturelles, d'autres chimiques, d'autres végétales. Nous en connaissons la composition par d'anciens traités de peinture, notamment un *Art d'enluminer,* du XIVe siècle.

Le plus beau bleu était l'*azur d'outremer,* fait de *lapis-lazuli* (" pierre d'azur "), que l'on faisait venir à grand frais d'Orient, si précieux qu'il figure dans un inventaire du duc de Berry : " deux sacs de cuir où il y a dedans de l'azur ". C'est ce bleu, à la fois profond et transparent, qui a donné les ciels lumineux des Limbourg. L'autre bleu était l'*azur d'Allemagne,* tiré des minerais de cobalt de Saxe; moins transparent que l'outremer, il semble avoir été employé par Jean Colombe dans les fonds dégradés de ses paysages.

Un des verts était aussi minéral, le *vert de Hongrie,* qui était de la malachite, sorte de cristal vert fait de carbonate de cuivre. C'est lui qui a donné la belle teinte des robes des jeunes femmes dans la cavalcade du mois de mai. L'autre vert était végétal : on l'appelait *vert de flambe,* c'est-à-dire d'iris sauvage. Suivant

12

l'*Art d'enluminer,* on l'obtenait en pilant des fleurs nouvelles, puis en les mélangeant avec du massicot jaune; selon un traité du XVIIᵉ siècle reproduisant d'anciennes recettes, c'étaient les feuilles de l'iris, c'est-à-dire la chlorophylle, qui étaient utilisées pour obtenir le vert.

Deux des rouges étaient chimiques. L'un le vermillon, plus vif, était du cinabre, c'est-à-dire du sulfure rouge de mercure, obtenu en chauffant une partie de vif argent avec deux parties de soufre. L'autre, la " mine ", c'est-à-dire le minium, était un oxyde de plomb que l'on produisait en chauffant la céruse. Un troisième rouge, plus foncé, était une terre, l'ocre rouge, sorte de sanguine. Le *rose de Paris* était tiré du bois de teinture appelé brésil, dont on faisait une décoction.

Les deux jaunes étaient des minéraux : l'un le massicot, oxyde de plomb; l'autre l'orpiment, sulfure d'arsenic. Enfin, le violet était une couleur végétale tirée du tournesol.

Le blanc était de la céruse, " seule espèce de blanc bonne pour l'enluminure ", dit l'*Art d'enluminer.* Le noir était du noir de fumée; ou bien on le tirait d'une pierre noire broyée. L'or était de deux sortes : de la feuille d'or, appliquée sur une " assiette " et fixée par une colle que l'*Art d'enluminer* appelle *cerbura;* et de l'or " moulu ", c'est-à-dire en poudre, qui était posé au pinceau.

Les pinceaux devaient être extrêmement fins pour obtenir la touche si légère des Limbourg. Il est possible que ceux-ci, pour arriver à cette finesse imperceptible à l'œil nu qui distingue leurs miniatures, se soient servis de verres grossissants. La touche de Jean Colombe était moins fine, comme on peut voir au mois de septembre, dont il acheva la miniature.

Les artistes auxquels le duc de Berry confia, vers 1413, le soin d'enluminer le livre d'heures qui, dans son esprit, devait surpasser tous ceux qu'il avait eus jusque-là, étaient originaires de Nimègue, au duché de Gueldre, entre Meuse et Rhin. Il ne serait pas exact de dire qu'ils étaient flamands : dans les textes le concernant, Paul est qualifié d'un terme assez vague, " allemand ", " natif du pays d'Allemagne ". Leur père, Arnold de Limbourg, était sculpteur sur bois; leur mère, Mechteld, était la sœur de Jean Malouel, qui, après avoir peint avec son père des écus et des bannières pour la cour de Gueldre, était venu en France où il avait composé, pour la reine Isabeau de Bavière, des modèles de tissus héraldiques, puis avait été pris en 1397 comme peintre à gages par le duc de Bourgogne. Arnold et Mechteld avaient eu au moins six enfants : Paul, le plus connu, Herman et Jean (ou Jannequin), qui travaillèrent avec lui, Roger, chanoine de la Sainte-Chapelle de Bourges en 1416, Arnold, qui entra comme apprenti chez un orfèvre de Nimègue en 1417 et Marguerite, qui épousa cette même année un marchand de Nimègue.

Après avoir passé leurs premières années dans leur milieu familial de sculpteurs et de peintres, Herman et Jean, encore " jeunes enfants ", quittèrent Nimègue, peut-être à la suite de la mort de leur père, pour entrer en apprentissage chez un orfèvre de Paris, où les avait sans doute fait venir leur oncle Jean Malouel. Il leur arriva alors une aventure, à laquelle est due la mention de leur apprentissage à Paris et que relatent les comptes du duché de Bourgogne. "Pour cause de la mortalité " qui sévissait à Paris en 1399, l'orfèvre les renvoya dans leur pays. Mais la personne qui les conduisait eut l'idée malencontreuse de passer par Bruxelles, où, à cause du conflit existant alors entre le Brabant et la Gueldre, on les retint prisonniers durant six mois. Finalement des orfèvres et peintres de la ville se portèrent garants pour eux d'une rançon de 55 écus, et le duc de Bourgogne, en considération de leur oncle Jean Malouel, leur octroya cette somme le 2 mai 1400, pour leur permettre de s'acquitter de la rançon.

Le duc paraît être intervenu ainsi pour s'attacher les neveux de son " peintre et valet de chambre ". En effet, dans les comptes de 1402-1403, on trouve Jean et Paul retenus par Philippe le Hardi "pour faire les ystoires d'une très belle et très notable Bible qu'il avait depuis peu fait commencer ". Il les a engagés pour quatre ans moyennant vingt sous parisis par jour ouvrable.

Paul et Jean restèrent-ils les quatre années prévues à la cour de Bourgogne ? Philippe le Hardi mourut en avril 1404 et nous ignorons s'ils demeurèrent comme leur oncle auprès de son fils. Nous ne savons rien des trois frères durant les années 1403 à 1408. A cette dernière date, il paraît bien que c'est en faveur de Paul que le duc de Berry se permit un abus d'autorité qui lui valut l'intervention du Parlement de Paris : il fit enlever à Bourges une fille de bonne bourgeoisie, âgée d'environ huit ans, nommée Gillette Le Mercier, pour la marier, contre le gré de sa mère, " à un paintre alemant qui besognoit pour lui en son hostel de Vincestre lés Paris. " Quand on rapproche ce texte d'un acte du 1er février 1434 concernant la maison de Paul de Limbourg à Bourges et mentionnant la mort de sa veuve, acte où il est dit qu'elle était femme d'un " paintre nommé Pol, natif du païs d'Allemaigne ", il paraît très vraisemblable qu'il s'agit du même personnage. Paul de Limbourg aurait donc été peintre du duc de Berry dès 1408 et aurait travaillé pour lui à la décoration du château de Bicêtre. C'est peut-être à l'occasion de cette affaire et pour en faciliter le règlement que Jean de Berry donna vers 1409 à son peintre cet " hostel " situé à Bourges devant l'église Notre-Dame-de-l'Afflichault, générosité qui montre combien il tenait à se l'attacher.

14

C'est vers 1410 que nous voyons les trois frères se fixer définitivement auprès du duc. Le 29 juin 1410, Herman et Jean cèdent à leur mère tous leurs biens meubles et immeubles sis dans l'échevinage de Nimègue; et à la fin de cette année, ils participent avec leur frère aux étrennes en faisant à Jean de Berry un cadeau facétieux, qui montre les rapports familiers qu'ils avaient déjà avec leur protecteur. Ils lui offrirent " un livre contrefait d'une pièce de bois en semblance d'un livre, où il n'a nuls feuillets ne rien escript ". A l'exécution de ce livre " contrefait ", ils avaient mis toute leur habileté d'artisans et d'artistes, le recouvrant de velours blanc et le munissant de fermoirs d'argent doré, émaillés aux armes du duc de Berry. L'inventaire qui mentionne ce livre conservé avec soin par le prince ajoute : " lequel livre Pol de Limbourc et ses deux frères donnèrent à mondit Seigneur ausdites estrainnes " (le 1er janvier 1411).

A cette première mention des trois frères ensemble en vont succéder bien d'autres dans les inventaires et les comptes. Le 15 janvier 1412, c'est le duc de Berry qui fait don à Paul de Limbourg, *Paulo de Limbourc,* d'un diamant en losange monté sur un anneau d'or; et, par la suite, d'un autre anneau d'or, " où il a un ours d'esmeraude sur une terrace de mesmes ". Vers le même temps, probablement au moment où furent commencées les *Très riches Heures,* le duc donna " à Paul et à ses deux frères enlumineurs ", *Paulo et duobus fratribus suis illuminatoribus,* neuf " pièces de monnoie d'or de diverses manières " : il s'agit sans doute de médailles, dont celle de Constantin et celle d'Héraclius, qui serviront aux miniaturistes de modèles pour les tympans des mois et les personnages des mages.

Jean de Berry leur fait aussi des versements d'argent : en quelques semaines, " à Paul de Limbourg " 6 écus; " audit Paoul " 10 écus; 50 écus " à Paul de Limbourg, valet de chambre de monseigneur..., pour considération des bons et agréables services quil lui a faiz, fait chascun jour et espère que fasse ou temps à venir, et pour soy vestir et estre plus honnestement en son service. " D'autre part, le prince remet le 22 août 1415, comme garantie d'une somme de mille écus d'or " à Paul de Limbourg, à Herman et à Jannequin, ses frères, valets de chambre dudit seigneur duc ", *Paulo de Limbourc et Hermando et Jehannequino, ipsius fratribus et varletis camere dicti domini ducis,* un petit rubis, " fait en façon d'un grain d'orge, assis en un annel d'or ", que le prince avait acheté deux ans auparavant pour la somme de trois mille écus d'or. De son côté, Paul avait donné au duc, aux étrennes précédentes, une petite salière d'agathe, garnie d'or, " dont le couvercle est d'or, et au-dessus a un petit fertelet *(bouton),* garny d'un saphir et de quatre perles ".

Toutes ces gratifications et ces échanges de cadeaux montrent comment les trois frères vivaient dans l'intimité du duc de Berry, qui, en témoignage d'estime, leur avait donné le titre de " valet de chambre ". Ils montrent aussi que cette estime allait particulièrement à Paul, qui tenait sans doute la place de chef d'atelier. Cette hypothèse est confirmée par la mention suivante de l'inventaire après décès du duc, mention qui constitue en quelque sorte les lettres de noblesse du manuscrit du Musée Condé et celles des auteurs des célèbres miniatures : " Item en une layette *(une cassette)* plusieurs cayers d'unes très riches Heures, que faisoit Pol et ses frères, très richement historiez et enluminez. "

Quand cette mention fut portée à l'inventaire, les trois frères étaient morts, avant même, doit-on croire, le duc de Berry. Deux documents des Archives de Nimègue concernent en effet leur succession : l'un est du 9 mars 1416 et mentionne la mort de Jean dit Jannequin *(Jenneken)* ; l'autre est de septembre-octobre suivant et nomme Herman, Paul et Jean.

Le fait qu'ils sont mentionnés tous trois ensemble laisse supposer qu'ils sont morts vers le même temps, peut-être d'une épidémie ; et la mort de Jean, connue dès le 9 mars à Nimègue, doit se placer au plus tard vers la fin de février 1416. Si l'on songe que Herman et Jean sont qualifiés " jeunes enfants " en 1400, l'aîné des frères devait à peine avoir atteint la trentaine quand ils sont morts.

L'ordre dans lequel sont nommés les trois frères dans le second document peut faire croire que Paul n'était pas l'aîné, mais Herman. Ce serait par sa valeur personnelle que Paul se serait imposé au duc de Berry et aurait eu la plus large part de ses faveurs : il apparaît bien comme le chef d'atelier et c'est à lui d'abord que nous reportons notre admiration. Tous les trois furent célèbres de leur temps : Guillebert de Metz, dans sa description de Paris, nomme " les trois frères enlumineurs " ; mais un siècle plus tard un nom survit encore : Jean Pèlerin, dit le Viateur, dans son traité *De artificiali perspectiva,* nomme parmi les bons peintres de jadis : " Paoul ".

A part les *Belles Heures* et les *Très riches Heures* qui sont de la main des trois frères, il reste peu de chose de leur œuvre. La " très belle et très notable Bible " que Paul et Jean ont enluminée vers 1402-1403, pour le duc de Bourgogne, ne nous a pas été conservée. Si Paul a travaillé au château de Bicêtre en 1408, ses peintures ont péri dans l'incendie de 1411. Il reste quelques miniatures éparses, où l'on reconnaît leur manière : trois miniatures des *Très belles Heures de Notre-Dame;* une peinture ajoutée aux *Petites Heures;* une suite d'images en tête d'une *Bible historiée;* ainsi qu'un dessin ajouté à ce manuscrit. Ces diverses miniatures ont été peintes vers 1409-1412. On peut y joindre deux livres d'heures qui paraissent sortis de l'atelier des Limbourg : l'un qui se trouve chez le comte Seilern, à Londres, "reproduction presque littérale des *Belles Heures,* dit Jean Porcher, avec certains souvenirs des Heures de Chantilly"; l'autre, de moins grande classe, qui est conservé au Musée Condé (ms. 66, ex 1383) et dont la Nativité, l'Annonce aux bergers, la Présentation au Temple offrent de curieuses ressemblances avec les *Très riches Heures* et les *Belles Heures.* Ces deux manuscrits montreraient donc que les trois frères, tout en donnant leurs soins aux grands ouvrages que leur demandait le duc de Berry, pouvaient aussi travailler à des œuvres moins importantes pour l'extérieur.

Les trois frères auraient succédé, vers 1409, comme miniaturistes du duc, à Jacquemart de Hesdin, à la mort de celui-ci. Les manuscrits qu'ils enluminèrent pour le duc de Berry, les *Belles Heures,* aujourd'hui au Musée des Cloîtres, et les *Très riches Heures,* du Musée Condé à Chantilly, comptent, de l'avis de tous, parmi les plus beaux manuscrits à peintures qui nous soient parvenus. Ils furent exécutés l'un après l'autre, le premier de 1410 à 1412 environ, le second de 1413 à 1416 : dès que Jean de Berry, insatiable, eut l'un en sa possession, il voulut en avoir un autre, plus beau, plus somptueux, qui tranchât sur la série des livres d'heures qu'il avait déjà. De fait, il y a une grande différence entre les deux œuvres. Certes, on retrouve dans l'une et l'autre la même manière, qui fait reconnaître la main des Limbourg dans les autres miniatures éparses, le même beau coloris, la même grâce des personnages, le même type de Christ barbu aux boucles tombantes, le même style des nus féminins, aux seins hauts, à la taille fine, au ventre proéminent, qui fait ressembler l'Ève des *Très riches Heures* à la sainte Catherine des *Belles Heures,* la même architecture conventionnelle, le même fond de montagnes coniques et d'édifices estompés. Mais que de différences. Non seulement le contenu liturgique et les sujets, qui ont sans doute été choisis par le duc de Berry; non seulement le calendrier, où de grandes scènes, suggérées probablement aussi par lui, remplacent les deux médaillons traditionnels; non seulement les encadrements, traditionnels encore, de rinceaux et de petites feuilles de vigne dorées, qui ont fait place à la fantaisie de charmants motifs épars dans les marges; non seulement enfin les sujets traités tout différemment et donnant l'impression que les miniaturistes ont évité avec soin de se répéter; mais encore, dans les *Très riches Heures,* une composition plus équilibrée, plus harmonieuse, un sens des rapports des couleurs, plus de fermeté dans l'exécution, et cette nouveauté extraordinaire, l'apparition du paysage. Dans ce manuscrit, on sent une maturité, une expérience, une science, auprès desquelles le livre précédent paraît une œuvre de jeunesse.

On a, devant ces différences, l'impression que l'un des trois frères est venu entre les deux renouveler l'art des Limbourg et lui apporter cette science, cette fermeté, cette maturité. On pense généralement que l'un d'eux est allé travailler en Italie, à Milan, à Sienne, peut-être ailleurs : l'influence des giottesques et des Siennois est particulièrement sensible dans les Heures de la Passion. Jean Porcher estimait que ce voyage aurait eu lieu en 1412 ou 1413, expliquant l'évolution rapide d'une œuvre à l'autre. Ce serait donc le chef d'atelier, c'est-à-dire Paul de Limbourg, qui aurait fait ce voyage fécond.

Mais le paysage, d'où vient-il? Voici que tout à coup paraissent dans leur réalité les sites et les châteaux chers au duc de Berry, Lusignan, Dourdan, le Palais de la Cité, le château du Clain à Poitiers, Étampes, Saumur, le Louvre, Vincennes, Mehun-sur-Yèvre; et puis cet étonnant paysage de neige du mois de février, si frappant de vérité dans sa crudité blanche. Les Siennois peignaient bien la nature; et Paul de Limbourg avait peut-être vu les charmantes scènes rustiques du *Bon gouvernement* d'Ambrogio Lorenzetti. Mais leur vision était encore déformée par la perspective cavalière, comme naguère encore, celle des trois frères dans les *Belles Heures,* pour la peinture de la Grande Chartreuse. D'où leur est venue cette révélation? Ont-ils connu quelque appareil d'optique, chambre noire ou chambre claire? Ont-ils utilisé un cadre tendu de fils verticaux, horizontaux et transversaux, pour regarder le paysage et en noter les lignes et les proportions exactes?

On remarquera que pour rendre les monuments qu'ils peignaient, ils ont usé de deux manières : l'une estompée par la distance, par la perspective aérienne, pour les châteaux de Dourdan et d'Étampes; l'autre, précise, minutieuse, où chaque détail de la construction est rendu avec soin, sans nuire pourtant à l'ensemble, et qui se retrouve dans les plus belles des miniatures : le Palais de la Cité, Saumur, le Louvre, Mehun-sur-Yèvre, œuvres d'un prodigieux dessinateur. Faut-il partir de là pour distinguer des mains différentes? Plusieurs érudits, et non des moindres, ont cherché ainsi des critères pour distinguer entre les trois frères. Une telle recherche est assez vaine : d'abord parce que nous manquons d'éléments pour connaître le caractère de chacun d'eux; ensuite à cause de l'unité de l'œuvre, qui demeure, malgré les distinctions que l'on peut faire, par exemple, entre les Heures de la Passion, les scènes de la vie du Christ, *l'Adoration des Mages* et le calendrier.

Cette œuvre collective, si nouvelle, si originale, de Paul de Limbourg et de ses frères réussit en effet à unir des éléments divers qui pourraient paraître contradictoires : un sens exquis de la nature et le goût des magnificences de la vie de cour; une élégance charmante et un réalisme parfois cru; des nus classiques, très proches de l'antique, et des formes féminines à la mode; ajoutés à cela un coloris lumineux, le sens des valeurs juxtaposées et l'art du groupement des personnages : le tout dans une remarquable unité, due à la direction du chef d'atelier. Grâce à leurs dons d'observation et d'exécution favorisés par le milieu familial, ils ont su fondre les influences du Nord et de l'Italie et les traditions picturales des cours de France en une œuvre originale qui demeure la plus haute expression de ce qu'on a appelé le "Style international".

On ne saurait assez insister sur la maîtrise de cette œuvre, d'autant plus étonnante que l'aîné des frères avait tout au plus trente ans. Il y a même des moments où on peut dire qu'elle atteint au génie. Qu'on songe à ces images brillantes du *Paradis terrestre* ou du *Couronnement de la Vierge*, à ces scènes extraordinaires de *la Chute des anges* ou de l'*Arrestation du Christ*, où le peintre a su rendre sa vision intérieure. Elles n'étaient pas prévues dans le plan traditionnel du livre d'heures; l'auteur s'est laissé aller à son inspiration et on les a ajoutées en hors texte. On imagine la joie du duc de Berry à les voir surgir du génie de son peintre. Que n'aurait-on pu attendre d'artistes aussi doués, s'ils avaient vécu plus longtemps? Les *Très riches Heures* demeurent, on l'a dit et répété, "le roi des manuscrits enluminés". Bien plus, c'est un sommet de l'histoire de la peinture.

Laissé inachevé au décès du duc de Berry et des Limbourg, le manuscrit des *Très riches Heures* fut terminé plus tard par un autre peintre, dans un style tout différent.

La miniature du feuillet 75 donne une indication sur les possesseurs du manuscrit au moment de la réalisation de cette seconde série de peintures. Sur les côtés de cette miniature, entourant l'image du Christ, sont représentés un prince et une princesse que leurs blasons accolés désignent comme étant le duc Charles Ier de Savoie et sa femme, Blanche de Montferrat. Cette indication permet de dater l'achèvement des *Très riches Heures* de manière assez précise, car nous savons que Charles Ier a épousé Blanche en 1485 et qu'il est mort quatre ans après, en 1489. Les peintures de la seconde série ont donc été réalisées entre ces deux dates.

Que le couple ducal de Savoie soit devenu le propriétaire des cahiers des *Très riches Heures* ne présente rien d'étonnant. Il les a reçus par voie d'héritage, une des deux filles du duc de Berry, Bonne, ayant épousé Amédée VII de Savoie avant de se remarier avec le comte d'Armagnac. Le duc Charles Ier descendait directement de ce comte Amédée.

Le nom de l' " historieur " de la seconde série a été révélé par Paul Durrieu à la suite d'une enquête rigoureuse qui a prouvé que le peintre avait des attaches particulières avec la ville de Bourges et qu'il avait terminé pour Charles Iᵉʳ de Savoie l'illustration d'une *Apocalypse figurée*. Or une *Apocalypse* de l'Escorial, terminée comme les *Très riches Heures* pour un prince de la maison de Savoie et présentant des miniatures d'un style tout à fait analogue, a pour auteur un certain Jean Colombe qui y travaille en 1482 pour le duc Charles Iᵉʳ, tout en résidant à Bourges.

On ignorait à peu près tout de Jean Colombe jusqu'aux recherches toutes récentes, et encore inédites, que M. Jean-Yves Ribault, directeur des services d'archives du département du Cher, nous a très obligeamment autorisé à communiquer sommairement à nos lecteurs et qui font d'ailleurs suite aux découvertes de ses érudits prédécesseurs berrichons, Paul Chenu, Alfred Gandilhon, Maurice de Laugardière.

Jean Colombe est très probablement le frère aîné du sculpteur Michel Colombe et serait né vers 1430-1435, du mariage de Philippe Colombe et d'une certaine Guillemette. La famille Colombe était peut-être originaire de Sens, s'étant installée à Bourges dès la fin du douzième siècle.

En 1463, Jean Colombe cohabite, peut-être depuis un certain temps, avec Clément Thibault, " écrivain de forme ", auprès duquel il a vraisemblablement appris l'art du manuscrit. Son apprentissage est alors terminé car il se marie et il s'installe, l'année suivante, dans une demeure située en face de celle de sa mère. A partir de 1467, il se fait construire une maison à Bourges, sur l'emplacement d'un immeuble détruit par le feu, et il y vit avec sa femme Colette jusqu'à sa mort, qui paraît pouvoir être datée de 1493.

On sait que Jean Colombe fit au moins un voyage en Savoie et au Piémont, grâce aux lettres du duc Charles Iᵉʳ du 3 juin 1486, retenant " maître Jean Collumbe " comme son enlumineur et se déclarant satisfait de ses services. Ces lettres sont datées de Turin, en la présence de l'artiste. Toutefois M. Ribault ne pense pas que ce séjour ait pu se prolonger au-delà de quelques mois, voire d'une année, car la présence de Jean Colombe est attestée à Bourges par la série, presque complète, des comptes du chapitre Saint-Pierre-le-Puellier. Au surplus, nous savons que l'enlumineur se trouve dans cette ville, en 1485, lorsqu'il travaille pour le duc de Savoie à un livre d'heures qui est sans doute le nôtre. Ce fait est attesté par un document des archives du trésorier de ce prince, qui fait payer vingt-cinq écus d'or à Jean Colombe, *in villa de Bourges, pro illuminatura et historiatione certarum horarum canonicarum*. Ce versement est ordonné le 31 août 1485, date qui concorde parfaitement avec celle de l'achèvement des *Très riches Heures,* le travail de Jean Colombe étant à ce moment en cours d'exécution.

Nous connaissons un certain nombre de manuscrits peints par Jean Colombe, en plus des achèvements des *Très riches Heures* et de l'*Apocalypse figurée. Le Livre des douze périls d'Enfer,* manuscrit 449 du fonds français de la Bibliothèque nationale, est d'une facture semblable et a été exécuté pour la reine Charlotte de Savoie, femme de Louis XI. La reine Charlotte, protectrice de l'artiste, demandait entre 1469 et 1479 qu' " ung povre enlumineur a Bourges nommé Jehan Coulombe " soit exempté de la taille et du guet et c'est probablement cette souveraine qui recommanda le peintre à la cour de Savoie. Jean Colombe a illustré également pour l'amiral Louis Malet de Graville le *Romuléon* de Sébastien Mamerot, manuscrit français 364 de la Bibliothèque nationale, qui porte la signature de notre artiste, et les *Passages d'outre mer* du même Mamerot, manuscrit français 5594 de la Bibliothèque nationale, exécutés probablement pour Louis de Laval. Pour le bâtard Louis de Bourbon, comte de Roussillon, il enlumina une *Vie du Christ* en trois tomes, manuscrits français 177 à 179 de la Bibliothèque nationale, et Henri Joly lui a rendu un *Missel de Lyon,* manuscrit 514 de la Bibliothèque de cette ville, qui présente des rapports très étroits avec l'œuvre de Jean Colombe et, tout particulièrement, avec la seconde série de miniatures des *Très riches Heures.*

Placé par le duc de Savoie devant le problème de la continuation de l'œuvre des Limbourg, Jean Colombe a refusé l'imitation du passé et a choisi d'œuvrer dans l'esprit de son temps. Le goût et les modes ont considérablement évolué en soixante-dix ans. Les femmes ont le front dégagé très haut. Le costume a changé. L'appel à l'orientalisme est beaucoup moins obsédant. Le modelé est rendu à petits traits parallèles, visibles à l'œil nu. Les couleurs sont vigoureuses, voire violentes, bleus intenses, rehauts d'or constants et appuyés, rouge-groseille prédominant. Les personnages et les premiers plans laissent une impression de fermeté voulue, en réaction sans doute avec les délicatesses antérieures dont l'époque était rassasiée. Les architectures sont savamment construites, bien que dans un style différent de celles des Limbourg. Contrastant avec la sévérité des premiers plans, les horizons vaporeux des paysages qui s'étagent dans les fonds en plans de plus en plus estompés dans les bleus, fournissent aux lecteurs les évasions qu'ils recherchent. C'est là qu'excelle, semble-t-il, Jean Colombe, qu'il peigne les paysages du Berry ou ceux de la Savoie, collines ou montagnes sur lesquelles sont dressés des châteaux et entre lesquelles serpentent des plans d'eaux sillonnés par des barques.

Le duc de Savoie Charles Ier ne devait pas jouir longtemps des *Très riches Heures,* car il mourut en 1489, sans enfants. C'est son cousin germain le duc Philibert le Beau, qui hérita de ses biens. Celui-ci étant aussi décédé sans postérité, le manuscrit demeura la propriété de sa veuve, Marguerite d'Autriche, fille de l'empereur Maximilien.

Cette princesse, qui était chargée du gouvernement des Pays-Bas, transféra dans ce pays un certain nombre de manuscrits ayant appartenu à la maison de Savoie. Paul Durrieu a montré qu'il était très probable que les *Très riches Heures* avaient fait partie de ce lot, les reconnaissant dans " une grande heure escripte à la main " mentionnée comme se trouvant à Malines, dans la chapelle de la princesse, en 1523. Quand meurt Marguerite d'Autriche, en 1530, ce livre d'heures sera remis à Jean Ruffaut, sire de Neufville, trésorier général des finances de l'empereur Charles-Quint, qui était un des exécuteurs testamentaires de la veuve de Philibert le Beau.

On ne saurait plus rien du manuscrit pendant trois siècles s'il n'avait été relié en maroquin rouge, durant le dix-huitième siècle, aux armes des Spinola. Comment cette illustre famille génoise était-elle devenue propriétaire du manuscrit ? On l'ignore mais il ne paraît pas outrecuidant de faire un rapprochement entre l'activité militaire de membres de cette famille, et tout spécialement d'Ambrogio Spinola, dans les Pays-Bas espagnols au dix-septième siècle, et les armes de la reliure.

Des Spinola, les *Très riches Heures* passèrent ensuite dans la famille Serra, dont les armes ont été appliquées sur un des plats de la reliure, surchargeant celles des Spinola ; elles devinrent ensuite, par héritage, la propriété du baron Félix de Margherita, habitant Turin. C'est le chevalier Mengaldo qui signala la cession possible du manuscrit à Pannizzi, conservateur du British Museum, en étroites relations avec le duc d'Aumale. Ce dernier quittait alors l'Angleterre, à la fin de 1855, voyageant sous le nom de comte de Vineuil, pour rendre visite à sa mère, la reine Amélie, souffrante près de Gênes. Il put voir le manuscrit au cours de son voyage et fut enthousiasmé par sa qualité. Il l'acheta, le fit porter en Angleterre, puis à Chantilly quand il put rentrer en France.

Dès qu'il avait vu le manuscrit à Gênes, le duc d'Aumale avait reconnu qu'il avait été exécuté pour le duc de Berry. Cette origine est attestée par de nombreuses preuves : son portrait à table, au mois de janvier, les ours et les cygnes à la poitrine sanglante que l'on rencontre en de nombreuses pages, le mystérieux sigle " V E ", les écus aux fleurs de lys, engrelés de gueules. Mais il restait à l'identifier parmi les nombreux livres d'heures du duc. Le 14 février 1881, le grand érudit

Léopold Delisle écrivait au duc d'Aumale " Monseigneur, je ne doute pas que vos Heures du duc de Berry ne répondent à l'article suivant du procès-verbal d'inventaire et prisée dressé après la mort du prince et conservé à la Bibliothèque Sainte-Geneviève : " *En une layette plusieurs cayers d'unes très riches heures que faisoient Pol et ses frères, très richement historiez et enluminez. - 500 livres* ". Son avis était fondé sur trois arguments : l'estimation élevée d'un manuscrit inachevé, l'absence de tout autre livre d'heures inachevé dans les inventaires du duc de Berry, enfin la collaboration de trois artistes expliquant " les différences de main remarquées par Votre Altesse dans les peintures de la partie ancienne du livre. "

Grâce à ce grand savant, les *Très riches Heures* ont ainsi retrouvé leurs lettres de noblesse. Depuis, ce manuscrit incomparable, passé de France en Savoie, puis aux Pays-Bas et en Italie, et ramené en France par le duc d'Aumale, a été compris dans la grandiose donation faite par ce prince de toutes ses collections et de son domaine de Chantilly à l'Institut de France, et son sort a été ainsi définitivement assuré : depuis 1897, il appartient à ce corps savant et constitue un des précieux trésors du Musée Condé.

Jean LONGNON et Raymond CAZELLES

				la quinte	nôbre
		Ianuier a .xxx. iour	des iours	do?
		Et la lune .xxx.	lxxix. ap^{rs}	nouel.
iij.	A		viij xxvij	xix.
	b	iiij N̄.	Octaues saint estienne.	viij xxix	
xi.	c	iij. N̄.	Oct. S. ichan. seg̃cuicuic.	viij xxxi.	viij
	d	ij. N̄.	Octaues des innocens.	viij xxxij	xvi.
xix.	e	Nonas	saint symeon.	viij xxxv.	v.
viij	f	viij id		viij xxxvij	
	g	vij id	saint irambourt.	viij xxxix.	xij.
xvj	A	vi. id	saint lucien.	viij xlj.	
v.	b	v. id	saint pol. pmier lrmite.	viij xliij.	ij
	c	iiij id	saint guillaume.	viij xlv.	x.
xiij.	d	iij. id	saint sauueur.	viij xlvj.	
ij.	e	ij. id	saint latu.	viij xlix.	xviij
	f	Idus.	saint hylaire.	viij lij.	
x.	g	xix. k̄l	saint felix.	viij lv.	vij.
	A	xviij k̄l	saint mor.	viij lviij	xv.
xviij	b	xvij k̄l	saint maurel.	.ix. o	
vij	c	xvi. k̄l	saint anthoine.	ix. ij.	iiij.
	d	xv. k̄l	saint prisce.	ix. v.	xij.
xv.	e	iiij k̄l	saint lomer.	ix. vij.	.j.
iiij	f	xiij k̄l	saint sebastien.	ix. x.	
	g	xij. k̄l	sainte agnes.	ix. iij.	ix.
xij.	A	xi. k̄l		ix. xvi.	xvij
j.	b	x. k̄l	sainte emerancaene.	ix. xix.	
	c	ix. k̄l	saint babile.	ix. xxij	vi.
ix	d	viij k̄l		ix. xxvi	
	e	vij. k̄l	saint policarpe.	ix. xxx.	xiiij
xvij	f	vi. k̄l	saint iulien.	ix. xxxij.	
vi.	g	v. k̄l	sainte agnes.	ix. xxxvi	iij.
	A	iiij k̄l	sainte paule	ix. xxxix.	xi.
xiiij	b	iij k̄l	sainte baudour.	ix. xlij	
iij.	c	ij. k̄l	Saint metran.	ix. xlv.	xix.

1. CALENDRIER

Les miniatures de chaque mois des Très riches Heures *accompagnent
le calendrier de ce mois. Nous n'avons reproduit que le calendrier
de Janvier.*

2. JANVIER

*Janvier. C'est le jour des " étrennes ". Le duc de Berry aimait
à donner et à recevoir; Paul de Limbourg et ses frères prenaient
part eux-mêmes à cette fête, offrant au prince un objet sorti de
leurs mains d'artistes. On voit ici le duc assis à sa table,
entouré de ses familiers. Un grand feu brûle derrière lui dans
la cheminée monumentale; son ardeur est tempérée par un écran
en osier tressé. Au-dessus de la cheminée se dresse un dais de soie rouge,
portant ses armes : d'azur, semé de fleurs de lys d'or,
à la bordure engrelée de gueules; des deux côtés des écus, des cygnes blessés
et des ours symbolisant, dit-on, son amour pour une dame
appelée Ursine (ours, cygne). Derrière le dais, des tapisseries représentent
des chevaliers sortant d'un château fort pour affronter l'ennemi :
à quelques mots qu'on peut déchiffrer sur les vers inscrits au haut
des tapisseries, il semble qu'elles figurent une scène de la guerre de Troie,
telle qu'on l'imaginait en France au Moyen Age.
La table est recouverte d'une nappe damassée, sur laquelle sont posés des plats,
des assiettes et une belle pièce d'orfèvrerie en forme de nef, mentionnée dans
les inventaires sous le nom de " Salière du pavillon ". On y voit aussi
les petits chiens du duc, s'y promenant en liberté au milieu des plats.
Derrière le duc de Berry se tiennent deux jeunes hommes,
qu'à leur coiffure et leurs vêtements, on croit reconnaître pour des
personnages des scènes d'avril, de mai ou d'août. L'un d'eux
est familièrement accoudé au dossier du duc. On peut penser que
ce sont de ses proches parents, des princes vivant dans son intimité.
A la droite de Jean de Berry, est assis un prélat aux cheveux blancs
clairsemés et au manteau de pourpre, qui remercie de l'honneur qui lui est fait.
C'est probablement un de ses familiers, Martin Gouge, évêque de Chartres et,
comme lui, grand amateur de beaux livres. Derrière lui arrivent des
personnages qui tendent les mains vers le feu et auxquels le chambellan dit :
" Approche, approche! " D'autres s'avancent à leur suite,
parmi lesquels un homme au visage anguleux et volontaire,
coiffé d'un bonnet replié sur l'oreille. Paul Durrieu pensait
que Paul de Limbourg avait voulu s'y peindre : hypothèse d'autant
plus vraisemblable que l'on retrouve cette tête au bonnet replié dans
deux autres miniatures des Limbourg, l'une dans les* Petites Heures
(à la Bibliothèque nationale de Paris), l'autre dans les Belles Heures
*(au Musée des Cloîtres). En poussant plus loin l'hypothèse,
on pourrait voir un des frères dans un personnage coiffé aussi d'un bonnet
et qui boit avidement dans une coupe; et encore dans la femme placée
derrière lui et dont le visage est en partie caché, la propre femme de Paul
de Limbourg, Gillette Le Mercier, qui était fille d'un bourgeois de Bourges.
Sur le devant, des officiers de la cour ducale, occupés au service
de la table, un échanson, un panetier, un écuyer tranchant,
complètent ce tableau si vivant, qui fait revivre à nos yeux
une scène familière de la vie de la cour ducale.*

[F. 1v]

3. FÉVRIER

*Pour ce mois, qui est souvent le plus froid de l'année, les Limbourg
ont peint un paysage d'hiver. Ils l'ont fait avec une extraordinaire vérité,
qui, par le réalisme des détails, restitue l'atmosphère de la dure saison.
D'un ciel livide et bas tombe une lumière blafarde sur la campagne
toute blanche. La crudité de la neige, qui fait ressortir les plans
et accentue les détails, donne au paysage une acuité particulière.
Au loin, un village blottit ses toits neigeux entre deux collines.
Sur le chemin qui y conduit, un paysan dirige son âne,
qui porte le chargement qu'il va y vendre.
Plus près, sur le devant, s'étend une ferme, dont les divers éléments
sont représentés avec un soin méticuleux : le pigeonnier, les ruches,
la charrette, un arbre dépouillé, la bergerie et ses moutons,
des tonneaux, le bâtiment d'habitation, et les clayonnages
qui servent de clôture.
Aux abords de la ferme, un jeune homme abat du bois;
devant le pigeonnier, un personnage transi, serrant frileusement sur
sa tête et ses épaules un manteau de laine, se hâte de rentrer.
Dans le bâtiment de bois, brille un grand feu. Un paysan et
une paysanne s'y chauffent les jambes sans trop de pudeur, cependant
que la maîtresse de maison, élégamment vêtue d'une belle robe bleue,
se réchauffe avec plus de réserve et semble parler à un chat blanc
couché à ses pieds. Du linge sèche sur des barres, le long des murs.
La rigueur de l'hiver est encore marquée par les oiseaux
qui viennent près de la maison, picorer une nourriture
que la neige ne leur permet plus de trouver ailleurs.
Tout dans ce tableau d'hiver a été noté avec soin et rendu habilement,
témoignant du don d'observation des auteurs et de la perfection de leur art.*

[F. 2v]

4. MARS

Paul de Limbourg et ses frères ont représenté ici les premiers travaux
rustiques de l'année, dans un large paysage,
au pied du château de Lusignan. On y voit juxtaposées diverses scènes
de la vie des champs. En haut à gauche, des moutons paissent
sous la surveillance d'un berger et de son chien.
Plus bas, dans un clos, trois paysans taillent la vigne. A droite,
un autre clos avec une maisonnette renferme, semble-t-il,
d'autres pieds de vigne. En dessous, un paysan se penche sur un sac
ouvert devant lui. A l'intersection des chemins qui séparent les pièces
de terre, s'élève un de ces petits monuments servant de signal,
de borne, appelés Montjoie, assez semblable à celui qui figure plus loin
dans le manuscrit, à la Rencontre des rois mages.
Sur le devant, une belle image du labour.
Un paysan à la barbe blanche,
vêtu d'un surcot sur une tunique bleue, tient de la main gauche
le mancheron et de la droite un aiguillon, à l'aide duquel il guide
ses bœufs. Tout le détail de la charrue est rendu avec soin.
Les deux bœufs sont de robe différente : le plus rapproché,
dont le poil roux est finement modelé,
se détache sur l'autre, qui est noir.
Le soc pénètre dans la terre, dont l'herbe est fanée par l'hiver,
et la retourne en sillons nettement marqués par des brindilles déjà séchées.
Ces scènes champêtres sont dominées par le puissant château de Lusignan,
au-dessus duquel l'image de la fée Mélusine,
qui prenait le samedi la forme d'un serpent ailé, rappelle
la légende de sa construction. Les artistes en ont figuré avec minutie
les différentes parties : la tour Poitevine, au-dessus de laquelle
vole la fée, le logis de la reine, la tour Mélusine,
la tour de l'Horloge, la Barbacane et les deux enceintes.
Ce château était une des résidences favorites du duc de Berry.
Il y fit faire des travaux d'embellissement, que l'on peut voir
sur la miniature aux fenêtres hautes du logis et de la tour Mélusine.
C'est là le premier des grands paysages que les Limbourg se sont plu
à peindre dans ce livre d'heures, avec une vérité telle
que l'on s'est demandé s'ils ne s'étaient pas servis d'un appareil d'optique,
qui leur ait permis d'en rendre exactement les lignes et les proportions.
En outre, grâce à la finesse de leur pinceau,
ils ont pu en figurer avec précision les détails,
sans nuire cependant à l'effet de grandeur et de puissance
de ce château de Mélusine se détachant sur un ciel d'azur.

[F. 3v]

5. AVRIL

" Le temps a laissié son manteau
De vent, de froidure et de pluie,
Et s'est vestu de broderie,
De soleil rayant, cler et beau. "
Ainsi chantait à cette époque Charles d'Orléans, prince et poète.
La nature se renouvelle. Les prés, les bois reverdissent.
Les fleurs poussent dans l'herbe tendre. Et tous fêtent
ce rajeunissement, tous y prennent part.
La scène se passe à Dourdan, que le duc de Berry tenait depuis 1400 et
qu'il avait embelli et renforcé. Le château, dont les ruines subsistent
encore aujourd'hui, dresse ses tours et son donjon au sommet d'une colline.
La petite ville se presse à ses côtés. L'Orge coule à ses pieds;
deux barques passent entre ses rives. Et sur le fond vert des prés,
des champs et des bois, sont groupés des personnages aux robes chatoyantes.
Penchées sur l'herbe, deux jeunes filles cueillent des violettes,
cependant que des fiancés échangent des anneaux sous les yeux
de leurs parents. La scène est admirable de composition.
Elle est groupée en une sorte de pyramide arrondie;
et les couleurs des robes se font valoir par contraste : le bleu
tendre de la fiancée ressort sur le noir de la mère; le rose ravissant
de la jeune fille agenouillée au premier plan s'oppose au bleu soutenu
de l'autre jeune fille. Les Limbourg ont créé là une harmonie
qui s'accorde avec la scène représentée et le charme de la saison nouvelle.
Les expressions des personnages sont rendues avec délicatesse :
le fiancé en présentant l'anneau vers lequel la fiancée tend son doigt,
contemple son visage, tandis qu'elle baisse les yeux;
la mère regarde la scène avec attendrissement; et le père se tourne avec
un regard plein d'affection vers la jeune fille. Les robes sont somptueuses.
Le fiancé porte une livrée princière, semée de couronnes d'or.
Les Limbourg semblent avoir voulu représenter une scène réelle.
On peut émettre à ce sujet bien des hypothèses. En voici une.
En avril 1410, alors qu'ils entreprenaient l'illustration du livre d'heures,
la petite-fille du duc de Berry, Bonne, fille du comte Bernard d'Armagnac,
qui était âgée de onze ans, était fiancée à Charles d'Orléans, qui en avait seize.
L'accord fut conclu à Gien et le mariage célébré à Riom, quatre mois plus
tard. Il est possible que la rencontre des fiancés ait eu lieu à Dourdan,
le duc de Berry ayant mis le château à la disposition de celui qui devenait
son petit-fils. La miniature rappellerait ainsi la fête de famille où le poète
s'unit avec celle dont il dira plus tard : " Ah! qu'il la fait bon regarder,
la gracieuse, bonne et belle! " Ce n'est qu'une hypothèse, assez vraisemblable
d'ailleurs, et qui s'accorderait si bien avec le charme de cette peinture.

[F. 4v]

6. MAI

" C'est le mai, c'est le mai, c'est le joli mois de mai! "
Ainsi semblent se dire, comme on chantait autrefois, les personnages
de cette gaie cavalcade. Au 1ᵉʳ mai, suivant une tradition
qui dérive des floralia antiques, les jeunes gens avaient coutume
de faire une joyeuse promenade dans la campagne et d'en rapporter
des rameaux verdoyants. Tous, ce jour-là, devaient porter du vert,
sous peine d'être pris en défaut. " Je vous prends sans vert. "
Telle est l'origine de cette expression proverbiale.
Le duc de Berry, dans sa jeunesse, aimait à prendre part
à cette fête; et à la cour de France, le roi distribuait aux princes
des robes de drap " vert gai ", qu'on appelait la " livrée de mai ".
C'est cette livrée que portent ici les trois jeunes filles montées sur
des chevaux harnachés de vert : livrée d'un vert fin, tendre,
que les artistes ont obtenu en broyant une pierre cristalline
appelée malachite; robe somptueuse doublée d'azur fleuronné d'or,
qui les font volontiers reconnaître pour des princesses. L'une d'elles,
portant une coiffe blanche ornée de feuilles vertes,
occupe le milieu de la scène. Vers elle se retourne, pour la contempler,
un cavalier portant un vêtement mi-partie de rouge et de blanc et noir,
qui était alors la livrée royale de France, probablement quelque prince du sang.
A sa gauche, un personnage revêtu d'un riche manteau
d'azur broché et semé de fleurettes d'or : serait-ce le duc de Berry?
Devant eux, des musiciens, au son de leurs instruments,
trompe, flûtes et trombone, mènent la joyeuse troupe
d'aimables cavaliers et cavalières.
Les petits chiens du duc de Berry les accompagnent,
gambadant aux pieds des chevaux.
Un bois forme le fond du paysage, derrière lequel apparaissent des toits,
des tours, le sommet de grands bâtiments. On a voulu y voir le
château de Riom, capitale de l'Auvergne, qui faisait partie
de l'apanage du duc de Berry. Mais si on les compare
aux représentations anciennes de ce château, on trouve peu de rapport
entre eux. Au contraire, si on les rapproche du décor du mois de juin,
qui figure le Palais de la Cité à Paris, on trouve une ressemblance si précise,
jusque dans les détails des pignons, des cheminées, des créneaux,
des girouettes, qu'on ne saurait douter : il s'agit bien
des toits du Palais. A gauche, une tour carrée avec une échauguette,
qui serait le Châtelet. Puis, après un espace, derrière le pignon
d'un bâtiment d'angle, le sommet de la tour d'angle,
les deux tours de la Conciergerie, la tour de l'Horloge,
toutes quatre encore existantes. Ensuite, les pignons jumelés de la Grand-Salle
du Parlement; et tout à droite, par derrière, la tour Montgomery.
Cette jolie scène devrait donc être située dans les bois bordant le Pré
aux Clercs, vers l'emplacement de la présente rue de Bellechasse.

[F. 5v]

7. JUIN

La vue est prise de l'Hôtel de Nesle, demeure du duc de Berry à Paris,
à l'emplacement de l'aile droite du palais de l'Institut, où se trouve
aujourd'hui la bibliothèque Mazarine; elle s'étend sur les prés
des bords de la Seine et la façade intérieure du Palais de la Cité.
C'est le moment de la fenaison. Des paysans, légèrement vêtus et
coiffés de chapeaux, fauchent avec ensemble la large prairie.
Le détail de l'opération est observé et rendu avec soin :
la partie fraîchement fauchée se détache en clair de l'herbe qui n'a pas
encore été touchée, tandis que le foin mis en tas et qui commence
à se faner, se distingue, par sa couleur, de l'herbe fraîche.
Sur le devant, deux femmes ratissent le foin coupé et l'entassent en mulons.
A ces figures, toutes simplement vêtues, des faneuses et des faucheurs,
les Limbourg ont su donner, par la sveltesse de la taille et l'aisance
des mouvements, une grâce, une élégance même, qui est la marque
particulière de leur génie, fait à la fois d'observation et de charme.
A ce tableau rustique, le Palais de la Cité, qui dresse ses toits d'ardoise
sur un ciel bleu, offre un fond large et noble, précieux pour nous
par les détails de cette façade intérieure, si minutieusement notés.
Nous y retrouvons, dans leur élévation, les différents bâtiments
dont le mois de mai reproduit les toits :
le pavillon d'angle, les tours de la Conciergerie, la tour de l'Horloge,
la double nef de la Grand-Salle, la tour Montgomery;
et aussi la Sainte-Chapelle, qui se dresse dans sa fine élégance.
Devant cette façade, on aperçoit les arbres d'un jardin,
masqué en partie par les murs de l'enceinte.
A gauche, ces murs se terminent par une curieuse porte donnant sur la Seine,
au bord de laquelle on aperçoit une barque.
Ainsi se complète cette scène du mois de juin,
à laquelle les Limbourg ont su donner à la fois
tant de grâce rustique et de grandeur.

[F. 6v]

8. JUILLET

*Les Limbourg ont représenté ici les travaux rustiques du mois de juillet,
la moisson et la tonte des moutons, aux abords du château de Poitiers.
Poitiers était, en effet, un des séjours familiers du duc de Berry,
qui tenait en apanage le Poitou comme le Berry et l'Auvergne.
Deux paysans font la moisson, non pas à la faux comme la fenaison,
mais à la faucille.
L'un d'eux est très semblable à un faucheur du mois de juin :
coiffé d'un chapeau de paille, il porte une simple chemise,
sous laquelle on aperçoit son caleçon, ses " petits draps "
comme on disait alors. Le blé est minutieusement rendu : les épis sont
plus dorés que la tige, et des fleurs l'émaillent à la surface et
dans l'épaisseur; on distingue sur le sol le blé déjà coupé,
qui n'a pas encore été mis en gerbes et qui est déjà plus sec.
En bas, à droite, un homme et une femme procèdent à la tonte des moutons.
Tenant la bête sur leur genou, ils coupent la laine avec une sorte spéciale
de grands ciseaux appelés* forces*; la laine tondue s'amasse à leurs pieds.
Le château représenté ici n'existe plus; cette miniature constitue ainsi
un document précieux. Il avait été reconstruit trente ou
quarante ans plus tôt, par le duc de Berry.
Il était, comme on le voit, de forme triangulaire.
La vue a été prise sur la rive droite du Clain.
Une passerelle de bois aboutit près de la tour de droite :
elle repose sur trois piles en maçonnerie qui subsistent encore dans
le lit de la rivière; une tour rectangulaire, servant d'entrée,
la précédait, à laquelle on accédait par un pont mobile.
A l'extrémité de cette passerelle, un pont-levis donnait accès au château.
A droite du château, dans des bâtiments séparés par un bras
de la rivière, on distingue une chapelle. Les tours sont du style qu'aimait
le duc de Berry et qu'on voyait dans ses divers châteaux :
à encorbellement, mâchicoulis et créneaux; des fenêtres hautes ornaient
l'intérieur de la cour du château. Dans le fond,
les artistes ont figuré des montagnes de forme conventionnelle,
comme on en rencontre souvent dans leurs œuvres, en cône dissymétrique.*

[F. 7v]

9. AOUT

*La scène peinte par les Limbourg se passe à Étampes, que le duc
de Berry tenait, comme non loin de là Dourdan, et qu'il mit,
comme Dourdan, à la disposition de Charles d'Orléans.
Un cavalier richement vêtu et couvert d'un chaperon blanc conduit
deux couples à la chasse à l'oiseau; il porte au poing un faucon.
Un fauconnier les précède, à pied, portant lui-même au poing gauche
deux oiseaux et tirant de la main droite une longue gaule.
Il est suivi d'un cavalier à chapeau aux bords relevés et à manteau
outremer, portant en croupe une jeune fille en robe grise à volant blanc;
de sa main gauche il lance un faucon. Un autre couple suit,
peut-être plus occupé de conversation amoureuse que de chasse.
Et comme en mai, des petits chiens accompagnent les cavaliers.
Le château d'Étampes domine la scène. On distingue les tours,
la chapelle, les bâtiments couverts de tuile. En son milieu se dresse
le donjon du XIIe siècle, appelé la tour Guinette, de forme
quadrangulaire, flanqué de tours d'angle, qui existe encore aujourd'hui.
Le duc de Berry en aimait le séjour, que rappellent
les inventaires faits à sa mort.
Sur les pentes, des paysans mettent en gerbes la moisson, qui vient
d'être fauchée, et la rentrent dans des charrettes abondamment chargées.
Plus bas, des baigneurs se divertissent dans la Juine :
l'un, ou plutôt l'une, vient de se dévêtir et s'apprête à entrer dans l'eau;
l'autre en sort; deux autres nagent dans la rivière, et leur image,
déformée par la réfraction et notée avec soin, a été curieusement rendue.
Toute cette scène variée rappelle les divertissements de la vie de cour
au milieu du labeur saisonnier de la campagne. Ainsi d'un mois à
l'autre, revit l'existence des familiers du duc de Berry.*

[F. 8v]

10. SEPTEMBRE

Cette scène représente les vendanges au pied du château de Saumur.
Elle a ceci de particulier que, commencée par Paul de Limbourg et
ses frères, elle a été terminée par Jean Colombe.
Les deux factures se distinguent nettement par le ton du coloris,
la finesse de la touche et le caractère des personnages.
Les Limbourg ont exécuté les deux tiers supérieurs. Les miniatures étaient,
en effet, commencées par les fonds : le ciel, le paysage,
le décor architectural. Puis venaient les premiers plans, les figures;
et en dernier lieu les visages.
Le château de Saumur appartenait à un neveu du duc de Berry,
le duc Louis II d'Anjou, qui venait d'en achever la construction.
On le voit ici dans toute sa fraîche nouveauté, dressant dans le ciel
ses cheminées, ses pinacles et ses girouettes surmontées de grandes fleurs
de lis dorées. Il est dessiné d'un trait ferme et accusé,
qui ne néglige aucun détail. On y reconnaît la main sûre de celui
des trois frères qui se plaît aux représentations architecturales et qui a
dessiné en juin le Palais de la Cité et en octobre le Louvre de Charles V.
Ce château subsiste encore aujourd'hui; et bien qu'il ait perdu ses
couronnements crénelés, on le reconnaît aisément sur cette miniature.
On y retrouve les contreforts le long des tours, les mâchicoulis,
les glacis de base, l'agencement général des bâtiments. A gauche,
on aperçoit un clocher, qui peut être celui de l'église Saint-Pierre;
puis une cheminée monumentale avec des cheminées secondaires,
qui sont certainement celles des cuisines, comparables à celles de l'abbaye
de Fontevrault, toute voisine; enfin une entrée à pont-levis,
d'où sort un cheval et vers laquelle se dirige une femme
portant un panier sur sa tête.
La scène des vendanges a été exécutée par Jean Colombe,
qui a terminé cette miniature soixante-dix ans plus tard.
Il l'a fait probablement sur une esquisse des Limbourg, car avant d'être
exécutées en couleurs les miniatures étaient légèrement esquissées.
Nous y voyons le travail des vendanges dans ce célèbre vignoble
d'Anjou : des femmes munies d'un tablier, des jeunes gens cueillent
les grappes violettes, qu'ils déposent dans un panier; on les charge
ensuite dans des hottes aux flancs des mulets ou dans des cuves placées
sur une charrette. Un des mulets portant des hottes se trouve sur la
partie peinte par les Limbourg et a été probablement exécuté par eux.
Comparé à celui de ses devanciers, le travail de Jean Colombe
est moins fin, la touche moins délicate, le coloris plus empâté et
plus terne, les figures plus courtes et moins élégantes.
Jean Colombe, bon miniaturiste, souffre d'être rapproché de
Paul de Limbourg; ici surtout, dans la même miniature, la différence
d'exécution éclate trop manifestement. Cette scène de vendanges dominée
par le grand château aérien n'en est pas moins une des plus
pittoresques et des plus belles du calendrier.

[F. 9v]

11. OCTOBRE

Octobre, mois des labours et des semailles,
est figuré au bord de la Seine,
sur la rive gauche. Le point de vue est à proximité
de l'Hôtel de Nesle, résidence du duc de Berry à Paris.
C'est à peu près le même que celui du mois de juin; mais tandis
que là les Limbourg se sont tournés vers l'Est, ici ils regardent
vers le Nord : là, ils ont peint le Palais de la Cité, ancien séjour
des rois de France; ici, ils ont représenté le Louvre,
résidence royale depuis Philippe Auguste.
Nous avons devant nous la masse imposante du Louvre de Charles V,
que son frère, le duc de Berry, de son hôtel, avait devant les yeux;
il est représenté si minutieusement que nous pouvons en détailler
toutes les parties. Au centre se dresse la grosse tour, le donjon
construit par Philippe Auguste et dont le tracé est aujourd'hui marqué
sur le dallage de la Cour carrée : ce donjon, que l'on appelait
communément la tour du Louvre, était le symbole de la puissance
royale; de là mouvaient les fiefs directs; il renfermait le trésor royal.
Il masque sur la miniature la tour du nord-ouest, dite tour de
la Fauconnerie, où Charles V conservait les précieux manuscrits
de sa " librairie ". Mais nous pouvons voir ici les trois autres tours d'angle :
à droite, la tour de la Taillerie; puis la façade orientale dont l'accès
est protégé par deux tours jumelées, dont le tracé se voit aussi
sur le dallage de la cour; plus à gauche, la tour de la Grande Chapelle,
suivie de la façade méridionale, présentant également deux
tours jumelées. Tout le détail est si précis que l'on a pu de nos jours,
en grande partie grâce à lui, exécuter une maquette de ce Louvre,
disparu depuis plusieurs siècles. Devant le château, le long de la Seine,
une enceinte s'étend, marquée par des tours et des bretèches.
Une poterne s'y distingue à gauche.
Des personnages minuscules se promènent sur le quai,
descendant vers la Seine, d'où des escaliers
permettent de s'embarquer dans des bateaux.
Sur le devant, dans les champs qui s'étendent sur la rive gauche,
un paysan vêtu d'une tunique bleue, sème le grain qu'il porte
dans une poche de toile blanche; le sac de semence est posé à terre
derrière lui; un peu plus loin, des oiseaux picorent le grain
qui vient d'être semé. Sur la gauche, un autre paysan monté
sur un cheval conduit une herse, sur laquelle on a eu soin de poser
une grosse pierre pour qu'elle pénètre bien dans la terre.
Plus loin, on voit un épouvantail, figurant un archer : des fils reliant
des bâtonnets fichés en terre servent aussi à empêcher les oiseaux
de manger le grain semé. Cette scène familière de la vie des champs
devant la majesté du château royal nous donne une image vivante
des abords de Paris au début du XVe siècle.

[F. 10v]

12. NOVEMBRE

La scène du mois de novembre, qui représente la glandée,
thème habituel de ce mois, est entièrement de la main de Jean Colombe.
Seul a été peint par les Limbourg le tympan qui surmonte cette scène
et qui porte les indications astronomiques. On y voit au centre,
dans un premier demi-cercle, peint en camaïeu bleu, un homme trônant
sur un char tiré par deux chevaux, et portant comme un ostensoir
un soleil rayonnant : cette image du char du soleil est imitée
d'une médaille de l'empereur Héraclius rapportant à Jérusalem
la vraie Croix; le duc de Berry, grand collectionneur, en possédait
un exemplaire. Au-dessus sont portées diverses indications
astronomiques, puis dans un autre camaïeu bleu, sur un fond
d'étoiles d'or, les signes du zodiaque pour le mois de novembre :
le scorpion à gauche et le sagittaire à droite, exactement semblables,
le premier à celui du mois d'octobre, le second à celui du mois de
décembre. Les Limbourg avaient aussi dû peindre
d'une seule venue les tympans des divers mois.
La scène représentée par Jean Colombe ne se passe pas, comme dans
la plupart des autres mois, en un site célèbre, que les artistes se sont
plu à évoquer. Ce décor, peint non sans talent, semble plutôt
un paysage de fantaisie, quoique l'artiste ait pu s'inspirer de
ce qu'il avait sous les yeux en Savoie, où il compléta pour le duc
les Très riches Heures. Les plans s'échelonnent pittoresquement et
se fondent dans le bleu de l'horizon, où une rivière qui sinue s'engage
entre des montagnes. Plus près, les tours d'un château, un village
s'accrochent aux rochers. Sur le devant, un paysan, vêtu d'une tunique
où l'or met des lumières, prend son élan pour lancer son bâton
dans un chêne. A ses pieds, les porcs s'empressent de manger
les glands qui tombent à terre, cependant qu'un chien les surveille.
Sous les arbres, on aperçoit d'autres paysans avec leurs porcs.
L'ensemble de la scène, quoique dans une autre tonalité,
plus sourde, qui la distingue, au premier coup d'œil, des autres mois, n'en
dépare pas la série, si variée. Elle présente de grandes et agréables
qualités; seuls les animaux, porcs et chiens, n'offrent pas la vigueur musclée,
que les Limbourg ont su, à la page suivante, donner aux bêtes qu'ils ont peintes.

[F. 11v]

13. DÉCEMBRE

Avec le mois de décembre, qui représente l'hallali du sanglier
dans le bois de Vincennes, nous revenons aux Limbourg et
au duc de Berry. Le donjon et les tours carrées qui se dressent
au-dessus des arbres, rappellent la demeure où naquit le duc à la veille
de ce mois de décembre, le 30 novembre 1340. Ce château n'avait pas
alors le développement qu'on aperçoit ici.
Le donjon, commencé trois ans auparavant, n'en était encore qu'aux
fondations; et la grande enceinte rectangulaire flanquée des neufs tours
qu'on voit sur la miniature, ne fut entreprise qu'en 1364,
par Charles V, " sage artiste, savant architecteur ", comme l'appelle
sa biographe Christine de Pisan, pour en faire " la demeure de
plusieurs seigneurs, chevaliers et autres ses mieux aimés ".
Par la suite, il y déposa une partie de ses richesses d'art,
de ses précieux manuscrits, de son trésor. De cet ensemble,
dont plusieurs tours furent à demi rasées au cours des siècles,
il subsiste encore en leur entier la tour principale, qui sert d'entrée,
et le magnifique donjon que Fouquet, après les Limbourg, s'est plu à peindre
dans une des miniatures des Heures d'Étienne Chevalier.
Le bois de Vincennes était un des séjours favoris des rois de France,
où Louis VII avait construit un rendez-vous de chasse,
et Philippe Auguste un premier petit château, agrandi par
saint Louis, qui aimait, on le sait, à y rendre sous un chêne
une justice familière; c'est le bois que nous voyons représenté ici,
dans ses teintes rousses de l'automne finissant.
Une chasse au sanglier s'achève. La bête, forcée, a été achevée
par un piqueur que l'on voit à gauche. A droite, un veneur sonne l'hallali
dans son cornet. Les chiens ont été lâchés sur la bête étendue à terre.
Leur acharnement est rendu avec une étonnante vérité : leurs attitudes variées,
les poses des pattes, l'expression avide des têtes ont été observées
et notées avec soin. Ce sont là véritablement des chiens à la curée,
des vautres, des chiens courants, dont un connaisseur
reconnaîtrait la race. Cette scène est peut-être la plus vivante
de ce calendrier plein d'images; elle le termine heureusement dans un cadre
qui rappelle la naissance du duc de Berry, à la même époque de l'année.

[F. 12v]

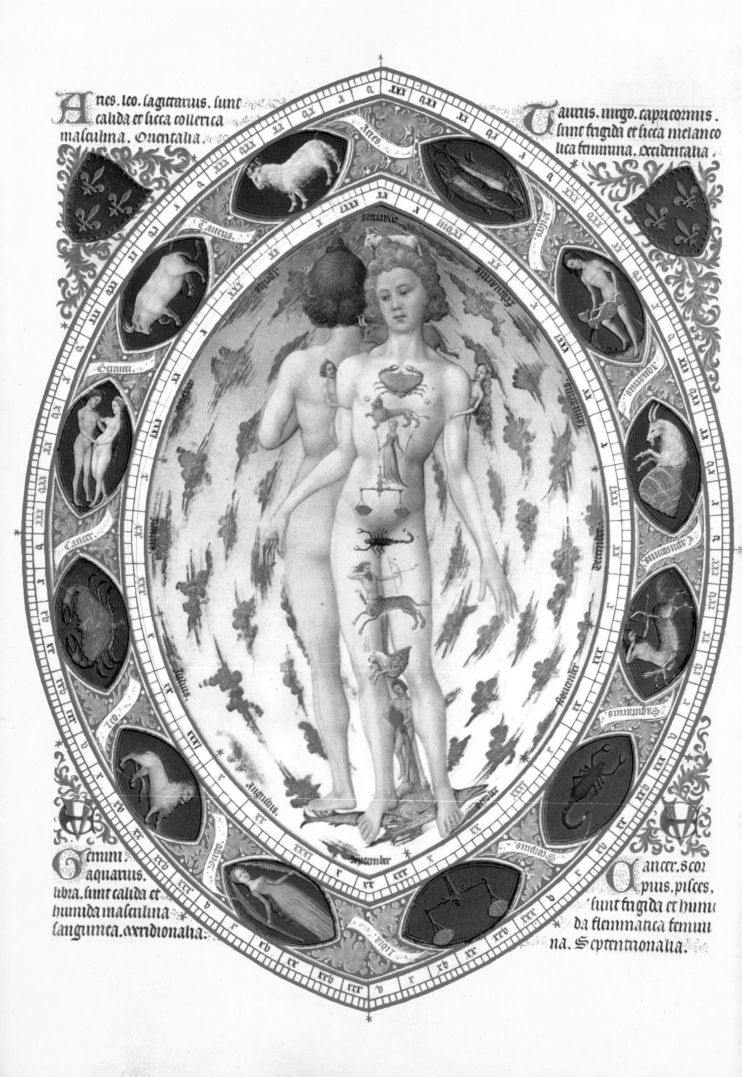

14. L'HOMME ANATOMIQUE

*Cette image symbolique, que l'on rencontre
dans les almanachs imprimés de la fin du XVᵉ siècle
et que l'on nomme " l'homme anatomique "
(on devrait plutôt dire " astrologique "), ne se
rencontre dans aucun manuscrit enluminé. C'est ici
une exception remarquable. Conçue comme un
complément du calendrier et ajoutée en hors-texte,
elle s'explique par l'amour de l'astrologie que
Charles V partageait avec ses frères et qu'il satisfaisait
avec son astrologue, Thomas Pisani, père de la célèbre
Christine de Pisan. Cette image prétend montrer
l'influence des astres du zodiaque sur le corps humain.
Suivant les commentaires inscrits dans les coins
de la miniature, les hommes peuvent être répartis
suivant plusieurs sortes de catégories. D'abord les
tempéraments, suivant les humeurs, traditionnellement
au nombre de quatre : le sanguin, le flegmatique
ou lymphatique, le colérique ou bilieux, et le
mélancolique ou atrabilaire. Les hommes peuvent être
encore répartis suivant le degré de chaleur, le degré
de sécheresse, selon qu'ils sont de caractère masculin
ou féminin, enfin, ce qui est plus obscur, selon les
quatre points cardinaux. De la combinaison de ces
catégories résultent quatre groupements, parmi les
douze signes du zodiaque : le bélier, le lion,
le sagittaire sont chauds et secs, colériques, masculins
et orientaux; le taureau, la vierge et le capricorne
sont froids et secs, mélancoliques, féminins et
occidentaux; les gémeaux, le verseau et les balances
sont chauds et humides, masculins, sanguins et
méridionaux; le cancer, le scorpion, les poissons sont
froids et humides, flegmatiques, féminins et
septentrionaux. On retrouve là le goût des catégories
et des correspondances cher au Moyen Age.
Pour illustrer ces catégories, deux figures sont
représentées dos à dos : l'une de face, plus gracile,
représente évidemment le caractère féminin; l'autre
de dos, qu'on ne voit qu'à moitié, est plus vigoureux :
c'est le caractère masculin. Afin d'accentuer l'opposition,
l'une est blonde, l'autre brune. Les Limbourg ont fait
de ces figures des images gracieuses. Comme l'a
remarqué Fernand de Mély, la figure féminine paraît
inspirée d'un groupe antique des Trois Grâces,
qui se trouve aujourd'hui au Musée de l'Œuvre
de la cathédrale de Sienne. Sur cette figure féminine
sont figurés les signes du zodiaque à l'endroit où
ils influent sur le corps humain : le bélier sur la tête,
le taureau sur le cou, et ainsi de suite en descendant
vers les pieds. Tout autour des deux figures, dans
un ornement en amande, les signes du zodiaque
sont encore représentés, un peu différemment de
ceux du calendrier et non sans grâce; au-dessus,
sous les inscriptions des coins supérieurs sont peintes
les armes du duc de Berry.*

[F. 14v]

15. SAINT JEAN A PATHMOS

*Après le calendrier, le texte des livres d'heures commence par des extraits des quatre évangiles.
En tête vient le début de l'Évangile de saint Jean " Au commencement était le verbe... "
Les Limbourg ont illustré ce premier extrait par une grande
miniature représentant saint Jean à Pathmos, où, suivant la tradition, il avait été exilé par ordre
de l'empereur Domitien et où il eut la révélation qu'il a consignée dans l'Apocalypse.
Pathmos, petite île du Dodécanèse que le culte de saint Jean a rendue célèbre, est représentée
ici comme un îlot désert. La barque qui a amené l'apôtre bien-aimé s'éloigne vers un lointain
rivage où s'estompent les monuments d'une ville inconnue.
Saint Jean est représenté jeune et imberbe. Auprès de lui se dresse, les ailes éployées, l'aigle qui
lui tient compagnie et qui porte dans son bec un encrier portatif.
A ses oreilles retentit le son de trois trompettes mystérieuses. C'est la figuration du verset de
l'Apocalypse : " J'entendis derrière moi une voix éclatante comme le son d'une trompette. "
Au-dessus de lui, dans les nuées, est figurée la vision qu'il s'apprête à décrire dans son livre :
" J'aperçus un homme semblable au Fils de l'homme... "
Autour de son trône étaient assis vingt-quatre vieillards revêtus de
robes blanches et portant sur leur tête une couronne d'or : les Limbourg les ont représentés ainsi;
et sur les genoux du Christ, ils ont placé l'Agneau, ainsi que le livre scellé, dont il est parlé
ensuite dans l'Apocalypse. Des lettrines décorent le bas de page;
et de leurs branches s'échappent des rinceaux finement peints, terminés par de délicates
violettes, donnant ainsi un premier aperçu de la décoration si riche et si variée de ce livre d'heures.*

[F. 17r]

(Pages suivantes)

16. SAINT MATTHIEU

*Entre saint Jean et saint Marc, à qui sont consacrées de grandes miniatures, les Limbourg ont
représenté les deux autres évangélistes dans de petites miniatures
ayant la largeur d'une colonne du texte. D'abord vient un extrait de saint Luc,
avec une miniature; puis un extrait de saint Matthieu rapportant l'adoration des Mages :
" En ce temps-là des mages vinrent d'Orient à Jérusalem... ". On peut donc supposer que
les Limbourg ont voulu, au-dessus de ce texte, représenter l'apôtre et évangéliste;
mais par une curieuse méprise l'emblème placé au-dessus de l'image figure un bœuf,
attribut habituel de saint Luc.
Saint Matthieu est peint sur un fond archaïque, bleu à ramages ton sur ton.
Il porte une barbe et des cheveux blancs et il est assis dans une chaire, sur le bras
de laquelle est posé un encrier, où il plonge sa plume. Il écrit à un pupitre, sous l'inspiration
du Saint-Esprit, figuré par une colombe.
Devant lui on voit un petit meuble surmonté d'une statue de prophète assez semblable à celle
que l'on voit dans l'Annonciation des Belles Heures et qui est là une statuette de Moïse.
Par une fenêtre à droite, on aperçoit un château placé sur une hauteur
et qui se détache sur le fond bleu à ramages. Le bœuf ailé peint au-dessus de la miniature a la patte
posée sur un livre. Sur les rinceaux de la marge est posé un oiseau.*

[F. 18v]

17. SAINT LUC

*L'extrait de l'Évangile de saint Luc est relatif à l'Annonciation : " En ce temps-là
l'ange Gabriel fut envoyé par Dieu dans une cité de Galilée appelée Nazareth... " Mais
de même qu'à saint Matthieu les Limbourg ont donné comme emblème le bœuf, attribut de saint Luc,
ici figure au-dessus de l'image de l'évangéliste l'emblème de saint Matthieu, l'Ange.
L'évangéliste est représenté sur un fond archaïque bleu à rinceaux dorés.
Les petites miniatures de ce manuscrit offrent souvent ainsi les fonds quadrillés, losangés ou
à ramages, chers au XIVe siècle, tandis qu'ils sont rares dans les grandes.
Saint Luc est assis dans une chaire et il écrit sur une sorte de pupitre. L'inspiration
lui vient du Saint-Esprit, figuré sous la forme d'une colombe; et un rayon lumineux lui arrive
du ciel. Aucun autre attribut que l'ange placé par erreur au-dessus
de la petite peinture, ne distingue ici le médecin grec, compagnon de saint Paul dans ses voyages.
L'ange est posé sur un magnifique rinceau et il déroule un phylactère. Sur le côté
gauche de la miniature s'étendent d'autres rinceaux, largement
déployés, sur lesquels on voit posé un oiseau qui semble picorer un bouton de fleur.*

[F. 18r]

Jnaum̃ ſancti euuangelij ſcðm̃ dum̃ johanne. Jn principio erat uerbum̃ et ūbũ erat apud deum

gelum. Quo modo fiet i
stud quoniam uirum
non cognosco. Et respõ
dens angelus: dixit ei.
Spiritus sanctus super
ueniet in te et uirtus al
tissimi obumbrabit ti
bi. Ideoqz et quod nascet
er te sanctum uocabitur
filius dei. Et ecce elizabeth
cognata tua: et ipsa con
cepit filium in senectu
te sua. Et hic mensis est
sertus illi: que uocatur
sterilis. Quia non erit
impossibile apud deũ
omne uerbum: dixit
autem maria. Ecce ã
cilla domini: fiat mi
chi secundum uerbum
tuum. Deo gracias.
Secundum matheum.

IN illo tempore:
cum natus
esset ihus in beth
leem iude. in die
bus herodis regis ecce z
magi ab oriente uene
runt iherosolimam di
centes. ubi est qui nat
est rer iudeorum. Uidi
mus enim stellam ei'
in oriente: et uenimus

dixit. Aue gracia plena
dominus tecum: bene
dicta tu in mulieribus.
Que cum audisset. tur
bata est in sermone eius
et cogitabat qualis eet
ista salutacio. Et ait
angelus ei. ne timeas
maria: inuenisti eni
graciam apud deum.
Ecce concipies in utero
et paries filium: et uo
cabis nomen eius ihe
sum. Hic erit magnus
et filius altissimi uo
cabitur. Et dabit illi
dominus deus. sedem
dauid patris eius et re
gnabit in domo iacob
ineternum. Et regni
eius non erit finis. Di
xit autem maria ad an

Nillo tempore:
ssus est an
gelus gabriel a
deo in ciuitatem
galilee. cui nomen na
zareth. ad uirginem
desponsatam uiro cui
nomen erat ioseph de
domo dauid: et nome
uirginis maria. Et in
gressus angelus ad eam:

Sequencia sancti
euuangelij se
cundum marcum.

In illo tempore:
Recumbentib;
undecim discipu

18. LE MARTYRE DE SAINT MARC

*Saint Marc, suivant la tradition, était disciple
de saint Pierre, qu'il suivit à Rome. Pendant que
Pierre y prêchait la foi, raconte la Légende dorée,
les chrétiens lui demandèrent que Marc
leur écrivît l'Évangile, ce que celui-ci fit, tel qu'il
l'avait entendu de la bouche de son maître.
En tête de l'extrait de cet évangile qui rapporte
l'apparition du Christ ressuscité à ses disciples,
les Limbourg ont peint le martyre de saint Marc.
Marc, sur l'ordre de saint Pierre, dit encore
la Légende dorée, alla prêcher la parole de Dieu
à Alexandrie. Un jour qu'il célébrait la fête de
Pâques, les païens lui passèrent une corde au cou
en disant : " Traînons ce bouvier à la voirie."
On le tira ainsi à travers les rues jusqu'à la
prison. Là, le Christ lui-même vint le réconforter
et lui dit : " Paix à toi, Marc, mon évangéliste! "
Les Limbourg ont représenté la scène du supplice.
Le saint est encore revêtu des ornements
sacerdotaux. Pour marquer que l'événement se passe
en Orient, les païens sont coiffés de turbans.
Un nègre, tirant sur la corde qu'il a passée au
cou du saint, l'a renversé de l'autel où il officiait :
le mouvement de celui qui tombe et de celui qui tire
est rendu avec un parfait naturel. Derrière eux,
un autre païen lève son bâton pour frapper Marc,
cependant que dans l'église, le diacre regarde
le spectacle avec effroi et cherche, semble-t-il, à sauver
le calice. Dans la rue, la foule s'assemble; et des gens
se mettent aux fenêtres pour voir ce qui arrive.
Le décor d'architecture où se passe la scène annonce
les miniatures des Heures de la Passion. A droite,
on aperçoit l'intérieur de l'église et l'autel : les murs,
décorés de pilastres, de nervures et d'ornements en
losange, sont peints de ce gris verdâtre que les
Limbourg emploient fréquemment pour les intérieurs.
A gauche, les maisons d'une rue, étroites, hautes et
diverses de couleur, se succèdent et disparaissent
derrière l'église suivant une exacte perspective.
En dessous de la scène, comme pour la miniature de
saint Jean, viennent quelques lignes du texte de
saint Marc, ornées de deux lettrines d'où s'échappent
des rinceaux; deux violettes et deux feuilles peintes
avec beaucoup de délicatesse et de vérité y montrent
dans leur simple détail l'art consommé des Limbourg.*

[F. 19v]

19. LA VIERGE,
LA SIBYLLE ET L'EMPEREUR AUGUSTE

*Dans les livres d'heures, deux oraisons à la Vierge
suivent les extraits des évangiles. La première
de ces oraisons, O intemerata, est illustrée
par trois petites miniatures, qui ne sont pas
indépendantes, mais forment un ensemble.
En haut, la Vierge, entourée de rayons et de flammes,
apparaît sur un croissant de lune. Elle semble
inspirée d'une miniature des Heures du maréchal
Boucicaut, où la Vierge en gloire est
semblablement entourée et posée.
En bas, à gauche, une femme couronnée et nimbée,
montre du doigt la Vierge : c'est la Sibylle,
que les artistes du Moyen Age ont souvent
représentée annonçant aux païens la naissance
du Christ : ainsi se plaisait-on alors à
interpréter les paroles de l'Églogue de Virgile :
Jam redit et virgo..., " déjà revient la Vierge... ".
Ici les Limbourg font allusion à une légende née
à Rome autour de l'église de l'Aracoeli, et
qu'ils ont été des premiers à traiter en dehors de
l'Italie. Suivant cette légende, l'empereur Auguste,
que le Sénat voulait déifier pour avoir donné la
paix au monde, alla consulter la Sibylle de Tibur.
Or ce jour-là, qui était celui de la naissance du
Christ, la prophétesse vit apparaître autour du
soleil un cercle d'or au milieu duquel rayonnait une
vierge portant un enfant; et une voix se fit entendre :
" Voici l'autel du fils de Dieu." La Sibylle,
montrant l'apparition à l'empereur, lui dit :
" Aujourd'hui naît un roi qui sera plus puissant
que toi. " Alors l'empereur renonçant aux honneurs
divins, se mit à genoux et rendit hommage au fils de Dieu.
Les Limbourg ont représenté dans la miniature
de droite, en face de la Sibylle, l'empereur
Auguste agenouillé et encensant la Vierge et
l'Enfant, comme fera Van der Weyden dans
un volet du triptyque de Berlin. Ils l'ont figuré
exactement comme ils ont fait pour le plus vieux
des rois dans la Rencontre des mages : avec une
grande barbe blanche, un curieux bonnet à
diadème sur la tête, une grande robe bleue, et
un sabre recourbé au côté : le diadème si
particulier semble indiquer qu'ils se sont inspirés
de l'empereur Manuel Paléologue, qui avait passé
deux années en France au début du XVᵉ siècle :
il est, en effet, exactement semblable à celui que
porte l'empereur Jean Paléologue
sur la médaille de Pisanello.*

[F. 22r]

m
me
dicta
q̃ incomparabi

tenerata et
ternum bene
singularis at
lis virgo dei geni

trix maria gratissimum dei templum spiritus sã
sacrarium ianua regni celorum. per quam post
deum totus uiuit orbis terrarum de te dei genitrix
filius dei uerus et omnipotens deus suam sacratis
simam fecit matrem assumens de illa sacratissiã
carne per quem mundus qui perditus erat salua
tus est. Cuius preciosissimo sanguine suo mundo

redemptus est. et
omnia peccata
et remissa sunt
formans eam i
preciosissimo sã
guine tuo uiuifi
cam eterne et in
commutabili
diuinitatis sue
a quo bona cũc
ta procedunt p

20. LE PARADIS TERRESTRE

*Cette miniature, si originale dans sa conception,
sa disposition et son exécution, n'était pas prévue
quand le livre fut commencé. Le sujet
ne figure pas habituellement dans les livres d'heures
et sa place n'avait pas été réservée dans celui-ci.
Elle y constitue un hors-texte, peint à part
et ajouté après coup. On l'a placée ici, juste
avant l'Annonciation, sans doute parce que,
suivant l'esprit des hommes du Moyen Âge,
c'est la chute d'Adam qui a provoqué la venue
du Messie, " nouvel Adam venu pour effacer
la faute de l'ancien ",
ainsi que l'a écrit Émile Mâle.
C'est bien, en effet, précisément la chute d'Adam
et d'Ève que représente cette peinture, que l'on
appelle habituellement le Paradis terrestre. En un
curieux et harmonieux assemblage, elle présente
juxtaposées quatre phases de cette chute.
A gauche, Ève, dressée vers l'arbre défendu
reçoit le fruit de la main du serpent, qui,
pour être plus séduisant, a pris le haut du corps
d'une femme. Tout heureuse, elle apporte ce fruit
à Adam, à demi agenouillé sur l'herbe,
au milieu des fleurs, et qui se retourne dans un joli
mouvement du corps. Après l'avoir mangé,
" ils connurent qu'ils étaient nus "; et Dieu les appelant,
leur annonça la punition de leur désobéissance.
Puis un ange flamboyant les chassa
du Paradis terrestre.
Au milieu de la miniature, une fontaine délicatement
ouvragée sépare les scènes du châtiment des deux
premières, auxquelles les Limbourg ont donné une
grâce particulière, une certaine poésie faite d'un
sentiment d'innocence, d'aisance, de liberté,
qui est bien ce qu'on imagine du Paradis terrestre.
Ils ont peint Ève selon le type féminin qui était alors
à la mode : les seins hauts, la taille mince,
le ventre un peu en avant; ils lui ont donné cette
gracilité élégante que l'on voit déjà dans les Belles
Heures au corps de sainte Catherine : mais le trait
est plus ferme, plus sûr, la ligne plus pure.
Le corps d'Adam agenouillé a la noblesse d'une statue
antique : comme l'a remarqué Paul Durrieu, il
" présente, pour la pose, de grands rapports avec
une statue de l'école de Pergame dont un exemplaire
est aujourd'hui au Musée d'Aix-en-Provence ".
Le tout est traité dans un coloris harmonieux,
où le corps d'Adam et celui d'Ève se détachent
sur le fond de verdure, et où le bleu intense
du vêtement de Dieu s'oppose à l'or de la fontaine,
de la porte et de la clôture du Paradis.*

[F. 25v]

21. L'ANNONCIATION

*Après les extraits des évangiles et les deux
oraisons à la Vierge, viennent dans les livres
d'heures les prières qui constituent
les Heures proprement dites, ainsi appelées parce
qu'elles correspondent aux principales heures
de la journée suivant le système médiéval : matines,
laudes, prime, tierce, sexte, none,
vêpres, complies. Il y a dans ce livre
plusieurs séries d'heures, réparties suivant leur
objet : Heures de la Vierge, Heures de
la Croix, Heures du Saint-Esprit, Heures de la
Passion. Les Heures de la Vierge sont
traditionnellement illustrées par des scènes représentant
les principaux épisodes de la vie mystique de
Marie : l'Annonciation, la Visitation, la Nativité,
l'Annonce aux Bergers, l'Adoration des Mages,
la Présentation au Temple, la fuite en Égypte
et le Couronnement de la Vierge, chacune
correspondant à une heure canoniale.
Dans l'Annonciation, Marie est agenouillée
devant un livre de prières, dans une chapelle
délicatement décorée, où l'on remarque à gauche de
petites statues de prophètes. Au salut de l'ange,
elle se retourne à demi, en faisant de la main
un geste d'étonnement et de réserve modeste. L'ange
est agenouillé devant elle et présente, d'une main,
une tige verte fleurie de trois lys, tandis que de l'autre
s'échappe vers la Vierge un phylactère où se
déroulent les paroles de l'Annonciation. Tout en haut
de la chapelle, dans une sorte de cantoria, d'autres
anges se penchent pour regarder la scène et s'unissent
par leurs chants et leur musique à la salutation.
A l'entour de ce tableau traditionnel peint
sur un fond archaïque d'azur broché de rinceaux,
les Limbourg ont déployé les ressources de leur invention
dans un décor plein d'originalité et de fantaisie.
En haut, à gauche, Dieu le Père, au milieu d'un
chœur d'anges, contemple et bénit la scène,
tandis que tout autour de la page, des angelots,
portés sur des rinceaux et des lambrequins
multicolores, célèbrent l'annonce faite à Marie sur
leurs divers instruments; et tout en bas, de chaque
côté d'un trio d'angelots, un ours et un cygne
symboliques soutiennent les armes du duc
de Berry. Toute cette décoration est traitée
avec une exquise délicatesse, une finesse, un
goût très sûr dans le dessin et dans le coloris léger
et harmonieux.*

[F. 26r]

omine ad adiuuan
dum me festina.
Gloria patri et filio
et spiritui sancto.
Sicut erat in princi
pio et nunc et semper
et in secula seculorum.
Amen.
Aue maria gracia ple
na dominus tecum.

dauid xpm ueniente
nunciat ipsum concuas.
enite exultemus
domino iubile

mus deo salutari nostro p
occupemus faciem eius
in confessione et in psal
mis iubilemus ei.
Aue maria gracia ple
na dominus tecum.
Quoniam deus ma
gnus dominus et rex
magnus super omnes
deos: quoniam non
repellet dominus plebem
suam quia in manu eius
sunt omnes fines terre
et altitudines moncium
ipse conspiat.
Dominus tecum.
Quoniam ipsius est
mare et ipse fecit illud et
aridam fundauerunt
manus eius uenite a
doremus et procidam'
ante deum ploremus

22. DAVID ANNONCE LA VENUE DU CHRIST

*Suivant l'esprit du Moyen Age, l'Ancien Testament, et particulièrement David, annonce
la venue du Christ.
Les Limbourg ont représenté ici le roi David comme un monarque d'Orient,
avec une grande barbe blanche, des cheveux longs et un haut bonnet ceint d'une couronne.
Il s'appuie sur sa harpe, et il montre de la main l'enfant apparaissant dans le ciel.
Deux musiciens, vêtus et coiffés à l'orientale, sont agenouillés à ses pieds : l'un joue de la viole,
l'autre du luth.
Au-dessous de la miniature, on lit la légende : " David, convoquant le peuple,
annonce la venue du Christ. "
Cette page est particulièrement importante à cause de la décoration peinte dans ses marges
et qui, inégalement achevée, nous montre comment était mené le travail des enlumineurs.
La miniature a été d'abord entièrement exécutée par les Limbourg. Ils se sont ensuite occupés
de la décoration extérieure : ils l'ont d'abord esquissée d'un trait léger, comme on le voit encore
pour l'oiseau posé sur les rinceaux, et pour le vase et la tige d'iris dessinés
au bas de la page. Sur cette esquisse, qui transparaît encore sous le coloris, ils ont posé
de premiers tons francs, à peine, par places, un début de modelé.
Autre indication sur la marche du travail : une lettrine était prévue au début du texte;
au milieu de cet U devait figurer une tête, comme on voit souvent dans les manuscrits italiens.
Cette tête n'a pas été réalisée par les Limbourg.
Elle a été peinte soixante-dix années plus tard par Jean Colombe.*

[F. 26v]

(Pages suivantes)

23. DAVID VOIT EN ESPRIT LE CHRIST
ÉLEVÉ AU-DESSUS DE TOUTES LES CRÉATURES

*David, debout à gauche de la miniature, fait face à des noirs représentant probablement
l'ensemble de l'humanité. Le Christ, les mains croisées sur la poitrine, plane au-dessus d'eux parmi
des nuages qui se détachent sur un fond quadrillé d'or et de bleu. La majuscule ornée et le rinceau
datent de l'époque du duc de Berry.
Sous la miniature débute le texte du psaume VIII célébrant la grandeur de la création.
La miniature illustre parfaitement le verset : " Je te chanterai car ta majesté s'élève au-dessus des cieux. "*

[F. 27v]

24. DAVID ANNONCE LA PRÉDICATION DES APÔTRES

*Le roi David voit en esprit les apôtres prêcher l'Évangile à l'univers après l'Ascension.
Deux de ces apôtres, la tête nimbée d'or, l'un largement tonsuré, l'autre chevelu et barbu,
annoncent la " bonne nouvelle " à tous les peuples du monde représentés : à gauche,
par des africains; à droite par des blancs qui paraissent plus ou moins intéressés
par cet enseignement. Le décor annexe est contemporain de la miniature.
L'ours du duc de Berry joue dans les feuillages.
Sous la miniature débute le psaume XIX, dont le quatrième verset a été compris comme l'annonce
de la future prédication des apôtres :
" Leur voix se répand par toute la terre; leurs paroles retentissent jusqu'aux confins du monde. "*

[F. 28r]

mater honore angelo
rum domino pectoris
aulam sacris inferib;
casta parasti natus hic
deus est corpore ipsus.
Quem cunctus ne
nerans orbis adorat
cui nunc ince genu flec
tttur omne a quo nos
petimus te nemente ab
iectis tenebris gaudia
lucis.
Dex largur pater lu
minis omnus natum
per proprium flamie
sacro qui trium nitida
umit in etherea regnas
ac moderans secula cuc
ta. X. Jn primo noct. an.
Exaltata es.
Dauid in spu uider ipm
minorem angelis super

omne craturam ascende

Domine dns
nr quam ad
mirabile est nomen tu
um in muuersa terra.
Quoniam elenata
est magnificencia tua
super celos.
Ex ore infancium
et lactancium perfecisti
laudem propter inum

cos tuos ut destruas mi
micum et ultorem. Quoniam uidebo ce
los tuos opera digitori
tuorum lunam et stellas
que tu fundasti. Quid est homo quod
memor es eius aut filius
hominis quoniam ui
sitas eum. Minuisti eum paulo
minus ab angelis glo
ria et honore coronasti
eum et constituisti eu
super opera manuum
tuarum. Omnia subiecisti sub
pedibus eius oues et bo
ues universas insup
et pecora campi. Uolucres celi et pisces
maris qui perambulat

semittas maris. Domine dominus
nr quam admirabile
est nomen tuum in uni
uersa terra. Gloria pri et filio et.
Sicut erat in prima.
Dauid in spu nunciat
aplos p ascensionem p u
niuersum pmulgare euang.

Et enarrant
gloriam dei et

25. L'ENTRÉE DE L'ARCHE D'ALLIANCE
DANS LE TEMPLE

La miniature illustre un verset du psaume XXIV :
" O portes, élevez vos linteuils, oui, soulevez-vous,
portails éternels, que le roi de gloire fasse son entrée. "
L'Arche d'alliance,
symbole de la présence divine,
portée sur les épaules de quatre hommes,
Sadoc, Abiatar, Achimaas et Jonathas,
est reportée à Jérusalem sur l'ordre de David,
lors de la révolte d'Absalon,
pendant que le roi d'Israël s'exile dans le désert.
L'Arche est représentée sous la forme d'une châsse
d'orfèvrerie, semblable à celles qui se trouvaient
dans les églises médiévales.
Le caractère oriental des personnages
est marqué par leurs coiffures et leurs longues barbes.
Le bâtiment dans lequel pénètre l'Arche
rappelle l'architecture française contemporaine
par ses arcs-boutants et la rosace
dont on aperçoit la partie inférieure.
Mais le portail est d'une autre facture,
que nous rencontrerons fréquemment
dans les miniatures des frères de Limbourg.
Le pavement du sol se retrouve
dans d'autres enluminures, comme celles
illustrant la Visitation,
ou l'Entrée du Christ à Jérusalem.
La décoration bleu et or meublant le fond de la miniature
est semblable à celles des folios
45 v, 168 v et 171 du manuscrit.

[F. 29r]

Et enim seruus tuus
custodit ea: in custodie
dis illis retribucio multa.
Delicta quis intelli
git: ab occultis meis mun
da me domine: et ab a
lienis parce seruo tuo.
Si mei non fuerint
dominati: tunc immacu
ulatus ero: et emunda
bo a delicto maximo.
Et erunt ut compla
ceant eloquia oris mei:
et meditacio cordis mei
in conspectu tuo semp.
Domine adiutor
meus: et redemptor me
us.
Gloria patri et filio.
Dauid in spiritu uidet portam
templi cum archa portaui
dauid clamat attollite portam

Domini est ter
ra et plenitudo
eius: orbis terrarum et
uniuersi qui habitant
in eo.
Quia ipse super ma
ria fundauit eum: et sup
flumina preparauit
eum.
Quis ascendet in
montem domini: aut

26. DAVID ANNONCE LE MARIAGE MYSTIQUE DU CHRIST ET DE L'ÉGLISE

Cette miniature annonce la lecture du psaume XLV,
ode des fils de Coré et chant d'amour.
Ce psaume préfigure l'union du Christ
et de son église :
" Écoute, ma fille, vois et prête l'oreille;
oublie ton peuple et la maison de ton père.
Le roi s'est épris de ta beauté...
A l'intérieur du palais, elle est la beauté même,
cette fille de roi, avec son vêtement d'or."
Le Christ, un livre rouge à la main, légèrement incliné
vers la femme personnifiant l'Église,
attire celle-ci à lui.
Un cortège de saintes personnes, dont les nimbes
se détachent sur un fond délicatement quadrillé,
participe à ces fiançailles spirituelles.
L'initiale qui se trouve au-dessous de la miniature
est ornée du cygne blessé
du duc Jean de Berry
La page a été tout entière illustrée par les Limbourg.

[F. 31r]

deus meternum.

Accingere gladio tu
o super femur tuum po
tentissime.

Specie tua et pulcritu
dine tua intende prospe
procede et regna.

Propter veritatem
et mansuetudinem et
iusticiam et deducet te
mirabiliter dextera tua.

Sagitte tue acute
populi sub te cadent in
corda inimicorum regis.

Sedes tua deus in se
culum seculi virga di
rectionis virga regni
tui.

Dilexisti iusticiam
et odisti iniquitatem
propterea unxit te deus
deus tuus oleo leticie pre

Eructauit cor meum
meum verbum
bonum: dico ego opera
mea regi.

Lingua mea cala
mus: scribe velociter scri
bentis.

Speciosus forma pre
filijs hominum: diffu
sa est gracia in labijs tu
is propterea benedixit te

27. LES FILS DE CORÉ
REMERCIENT DIEU
DE LES AVOIR SAUVÉS

Le lévite Coré, fils d'Isaar, s'était soulevé
contre Moïse avec Dathan et Abiron et
deux cent cinquante Israélites. Sur une invocation
de Moïse relatée dans le Livre des Nombres, la terre
s'entrouvrit et engloutit Coré et ses partisans.
La miséricorde de Yahweh sauva les "fils" de Coré
en les élevant au-dessus de la terre.
La miniature représente la scène du salut
des fils de Coré, pendant que leur père
s'enfonce dans le sol et qu'un arbre se brise.
Elle inaugure le texte du psaume XLVI,
un de ceux qui sont mentionnés dans le psautier
comme conçus par les fils de Coré :
" Aussi ne craignons-nous rien
quand la terre chancelle. "

[F. 32r]

(Pages suivantes)

28. L'ÉGLISE MILITANTE
ET TRIOMPHANTE

Cette miniature, qui se trouve à la tête
d'un autre chant des fils de Coré, représente
le roi David face à une figure féminine couronnée,
symbole de l'église militante, puis triomphante.
Celle-ci tient, dans la main droite, la hampe
terminée par une croix d'un pennon à
deux flammes et, dans la main gauche,
un calice d'or surmonté d'une hostie.
Le triomphe de l'église du Christ
est prévu par le verset du psaume LXXXVII :
" On annonce pour toi des destinées glorieuses,
ô cité de Dieu. "
L'initiale " F " renferme l'ours endormi.

[F. 32v]

29. LE CHRIST JUGEANT LE MONDE

Le psaume XCVI, qui invite à louer Dieu
par un cantique nouveau, s'achève
sur l'annonce du jugement :
" Voici Yahweh qui vient juger la terre,
juger le monde selon la justice
et les peuples selon sa vérité. "
Le Christ est assis sur les nuées,
ses pieds reposant sur un globe symbolisant la terre.
La Vierge et un personnage agenouillé,
qui est peut-être saint Jean,
le supplient de se montrer miséricordieux.
Sur le registre inférieur, à gauche : les élus, à droite :
les réprouvés plongés dans la gueule infernale.

[F. 34r]

regraciantur filij chor̄e
qp salnati sūt m acr cū
tia deglutuere patrem.

Eus nr̄ refu
gium et uurt⁹
adiutor m tribulacio
nibus que mueneruut
nos mmis.

Propterea non time
bimus dum turbabit
terra transferentur mō
tes m cor maris.

Sonuerunt et turba
te sunt aque eorum cō
turbati sunt montes
m fortitudine eius.

Fluminis impetus
letificat ciuitatem dei
sanctificauit taberna
culum suum altissim⁹

Deus m medio eius
non commouebitur
adiunabit eam deus
mane diluculo.

Conturbate sunt
gentes et mclinata sūt
regna dedit uocem suā
mota est terra.

Dominus uirtutū
nobiscum susceptor nr̄
deus iacob.

Venite et uidete opera
domim que posuit pro
digia super terram.

Auferens bella usq;
ad finem terre arcum
conteret et confringet
arma et scuta exburet ig.

Vacate et videte qm
ego sum deus exaltabor
in gentibz et exaltabor
in terra.

Dominus virtutū
nobiscum susceptor
noster deus iacob.

Psetizāt filij chore mi
litante et triumphātē
eccliam in monte syon.

Fundamenta
eius in monti
bus sanctis diligit do
minus portas syon sup
omnia tabernacula
iacob.

Gloriosa dicta sunt
de te ciuitas dei.

Memor ero raab: et ba
bilonis scientium me.

Ecce alienigene et ty
rus et populus ethyopi
hij fuerunt illic.

Nunquid syon di
cet homo et homo natus
est in ea: et ipse fundauit
eam altissimus.

Dominus narra
bit in scripturis popu
lorum: et principum
horum qui fuerunt in
ea.

procssit adortium. In tertio
noctturno antiphona.
Gaude maria.

Cantate domi
no canticum
nouum: cantate dño
omnis terra.
Cantate domino et
benedicite nomini eius

annunciate de die in die
salutare eius.
Annunciate inter
gentes gloriam eius in
omnibus populis mi
rabilia eius.
Quoniam magnus
dominus et laudabilis
nimis: terribilis est su
per omnes deos.
Quoniam omnes
dij gentium demonia
dominus autem celos
fecit.
Confessio et pulcri
tudo in conspectu eius
sanctimonia et magni
ficencia in sanctificacio
ne eius.
Afferte domino patrie
gentium afferte dño
gloriam et honorem af

ferte domino gloriam
nomini eius. ~~~
Tollite hostias et in
troite in atria eius ado
rate dominum in atri
o sancto eius. ~~~
Commoueatur a
facie eius universa ter
ra dicite in gentibus
quia dominus regnauit.
Et enim correxit
orbem terre qui non
commouebitur iudi
cabit populos in equi
tate. ~~~
Letentur celi et exul
tet terra commoueat
mare et plenitudo eius
gaudebunt campi et
omnia que in eis sunt.
Tunc exultabunt
omnia ligna siluaru

rum a facie domini
quia uenit quoniam
uenit iudicare terram.
Iudicabit orbem
terre in equitate et po
pulos in ueritate sua.
Gloria patri et filio.

Dominus regna
uit exultet ter
ra letentur insule multe.

30. LA GLOIRE DU CHRIST

*Le psaume XCVII, illustré par cette miniature,
annonce la royauté du Seigneur et la confusion
des adorateurs d'idoles : " Les cieux proclament
sa justice et tous les peuples sont témoins
de sa gloire." Le Christ, assis sur les nuées,
montre ses plaies pendant que deux anges,
qui personnifient peut-être la Justice et l'Équité,
soufflent dans leurs longues trompes blanches.
Les personnages prostrés ou suppliants du registre
inférieur sont les idolâtres : " Les voilà dans
la confusion, tous les adorateurs de statues,
eux qui se glorifiaient dans leurs vaines idoles."
L'apparition du Christ fait frémir la terre :
" Les foudres illuminent le monde; la terre tremble
en le voyant. Les montagnes se fondent
comme la cire devant sa face."
De même que la miniature, la lettre ornée
d'une fleur bleue sur fond d'or et le lambrequin
de la colonne centrale portant deux merveilleux
oiseaux, sont de la main des Limbourg.*

[F. 34v]

spectum gencuum reue
lauit uistiaam eus.

ecordatus est uisc
sue et ueritati sue domu
i istrael.

iderunt omnes fi
nes terre salutare dei
nostri.

ubilate deo omnis
terra cantate et exalta
te et psallite.

sallite domino in
cythara et uoce psalmi
m tubis ductilibus
et uoce tube cornee.

ubilate m conspe
ctu regis domini moue
atur mare et plenitu
do eus orbis terrarum
et uniuersi qui hitant
in eo.

lumina plaudet

antate domino
canticum no
uum: quia mirabilia
fecit.

aluauit sibi dexte
ra eus: et brachium
sanctum eus.

otum fecit dominus
salutare suum ante 2

31. LA CONSTRUCTION DU TEMPLE

David couronné lève les yeux vers le ciel
où Dieu le Père apparaît dans les nuées.
Peut-être observe-t-il également la construction
d'un édifice religieux et le chantier sur lequel
s'affairent deux ouvriers. L'un pose les pierres
que l'autre a fait monter dans un panier
au moyen d'une corde et d'une poulie.
On ne saisit pas nettement le rapport entre
l'illustration et le psaume XCVIII qui commence ainsi :
" Chantez à Dieu un cantique nouveau,
car il a opéré des merveilles. "
La chapelle en construction
est-elle une de ces merveilles ? Ou bien le temple
en construction figure-t-il la " maison d'Israël " en
faveur de laquelle Dieu s'est souvenu de sa
miséricorde et de sa fidélité ? Les légendes des
miniatures ont été laissées en blanc
à partir du feuillet 34.

[F. 35v]

Ce deum lau
damus te
dominum confitemur.
Ce eternum pa
trem omnis
terra venera
tur.
Cibi om
nes angeli
tibi celi et u
niuerse pote
states.
Cibi cheru
bim et serap
hin: incessa
bili uoce pro
clamant.
Sanctus
Sanctus. sanctus
dominus deus sabaoth
Pleni sunt celi et ter
ra maiestatis glie tue.

Ce gloriosus apo
stolorum chorus.
Ce prophetaru
laudabilis numer
Ce mar
tirum can
didatus lau
dat exercitus.
Ce per or
bem terraru
sancta confi
tetur ecclia.
Patrem
immensema
iestatis.
Veneran
dum tuum
uerum et u
nicum filium.
Sanctum quoqz pa
raclitum spiritum.
Tu rex glorie xpe.

32. LE BAPTÊME DE SAINT AUGUSTIN

Cette miniature, intermédiaire entre les grandes
et les petites, et qui est placée ici,
d'une manière toute particulière, au milieu d'un texte,
est destinée à illustrer le Te Deum, *qui l'encadre.*
A ce chant large et magnifique, dont les versets
à la louange de Dieu alternent comme les paroles
d'un noble dialogue, les gens du Moyen Age
attribuaient, en effet, une origine en rapport étroit
avec le baptême de saint Augustin. La Légende dorée
la raconte ainsi : "Le jour de Pâques, Augustin
reçut le baptême" avec son ami Alypius, qui avait été
lui aussi converti par les paroles de saint Ambroise,
et avec son fils, Adeodatus, qu'il avait eu alors
qu'il était encore philosophe païen. Et saint Ambroise
s'écria alors : " Te Deum laudamus *";*
à quoi Augustin répliqua :
" Te Dominum confitemur *"; de sorte que*
de leurs paroles alternées,
ils composèrent le cantique tout entier.
Les Limbourg ont représenté la scène dans un
baptistère hexagonal, dont les compartiments
de la voûte sont peints en rouge. Augustin plonge
jusqu'à mi-corps dans la cuve baptismale;
il est coiffé symboliquement d'une mitre, pour
rappeler qu'il sera par la suite évêque d'Hippone.
Saint Ambroise, revêtu des ornements sacerdotaux
et coiffé lui aussi de sa mitre d'archevêque de Milan,
verse l'eau baptismale sur la tête d'Augustin.
De part et d'autre se tiennent
divers personnages, dont l'un porte un turban
à bonnet pointu : l'un, à gauche, contemple
la scène; les autres la commentent.
En haut et à gauche de la page, à l'intérieur
de la lettrine, d'où s'échappent des rinceaux
multicolores, on remarque une figure peinte
d'un pinceau fin et léger et qui représente
un ange en prière.

[F. 37v]

eus madiu
torum meũ
mtende.
Domine ad adiuuiã

dum me festina.
Gloria patri et filio
et spiritui sancto.
Sicut erat in princi

33. LA VISITATION

Cette miniature des Limbourg, placée en tête
des laudes dans les Heures de la Vierge,
représente, suivant la tradition, la visite de Marie
à Elisabeth, qui allait être mère de
Jean-Baptiste. Elle est remarquable par l'attitude
des personnages, plus grands qu'ils ne sont
habituellement dans ce manuscrit, et par l'harmonie
des couleurs. Marie est venue de Galilée en Judée
voir Elisabeth; et quand celle-ci entendit son salut,
son enfant tressaillit dans son sein, et elle s'écria :
" Vous êtes bénie entre les femmes et le fruit
de vos entrailles est béni. " Les Limbourg
ont représenté Elisabeth prononçant ces paroles
et s'inclinant devant la Vierge dans un geste
de respect et de reconnaissance, qui traduit
les paroles que lui attribue saint Luc :
" D'où me vient que la mère de mon Seigneur
vienne à moi ? " Sa robe et son manteau
sont de deux tons clairs harmonieusement
juxtaposés et contrastant avec le bleu intense
du manteau de la Vierge.
Marie, légèrement déhanchée comme les Vierges
françaises du XIVe siècle, se tient d'un port
noble et d'un air recueilli, pour répondre :
" Mon âme glorifie le Seigneur et mon esprit
exulte en Dieu, mon Sauveur. " Un rayon venant
du ciel, comme une poudre d'or, illumine son visage.
A gauche, on voit la porte de la maison
d'Elisabeth; dans le fond se dressent ces bizarres
montagnes en forme de cône déformé qu'on trouve
souvent dans les œuvres des Limbourg et qui sont
comme leur signature. Plus loin, à droite,
on aperçoit les monuments d'une ville,
qui semble vaguement rappeler Bourges.
Cette page est encore remarquable par
les ornements, burlesques pour la plupart, dont
l'imagination des Limbourg s'est amusée à entourer
cette grave scène : une femme se défend avec une
épée contre des papillons; dans une tour,
un guerrier repousse l'assaut d'un escargot;
un vieillard promène dans une brouette un ours
qui joue de la cornemuse; un clerc cherche
à attraper des oiseaux avec une échelle, etc.
Ces petits motifs, où les Limbourg ont renouvelé
le genre des grotesques que les miniaturistes
figuraient dans les marges, sont peints avec autant
d'esprit que de légèreté et de délicatesse de coloris.
Dans la lettre ornée, le cygne symbolique
du duc de Berry détache sa blancheur
sur les armes de France.

[F. 38v]

34. LE CHRIST ROI DE L'UNIVERS

Assis en majesté, coiffé d'une tiare à triple couronne,
tenant de sa main gauche le globe sur son genou,
le Christ reçoit l'hommage des souverains
représentant les nations de l'univers
agenouillés devant lui.
Le psaume XCIII en effet, qui
est transcrit tout entier sur cette page, n'est qu'une
hymne à la royauté et à la puissance
divine : " Il règne, Yahweh, il s'est revêtu
de majesté et ceint de force. "

[F. 39r]

pio et nunc et semper et
in secula seculorum. X.
ant. Bnidicta tu.

Ominus regna
uit decorem in
dutus est indutus est
dominus fortitudine
et precinxit se.
Etenim firmauit

orbem terre qui non co
mouebitur.
Parata sedes tua deus
ex tunc a seculo tu es.
Eleuauerunt flu
mina domine eleua
uerunt flumina uo
cem suam.
Eleuauerunt fluc
tus suos a uocibus a
quarum multarum.
Mirabiles elacones
maris: mirabilis in
altis dominus.
Testimonia tua
credibilia facta sunt
nimis domum tuam
decet sanctitudo domi
ne in longitudinem
dierum meorum.

portas eius: in confes
sione atria eius, in hym
nis confitemini illi.
Laudate nomen e
quoniam suauis est
dominus in eternum
misericordia et usq; in
generacione et genera
cionem ueritas eius.
Gloria pri et filio et

ubilate deo om
nis terra: seruu
te domino in le
ticia.
Introite in conspec
tu eius: in exultacione.
Scitote quoniam
dominus ipe est deus
ipe fecit nos et non ipi
nos.
Populus eius et ou
es pascue eius intoite

35. PSAUMES C ET LXIII

*La première miniature de cette page représente
David qui entonne, agenouillé devant un autel,
le psaume C, cantique de louange qu'il a conçu pour
un sacrifice d'action de grâces. Le visage du Christ
apparaît dans le ciel, au sommet de la miniature.
La scène semble illustrer plus particulièrement
le premier verset invitant la terre entière à se réjouir
en Dieu : " Servez le Seigneur avec joie.
Présentez-vous devant lui avec allégresse. "
L'autel devant lequel prie David est surmonté
d'une curieuse lanterne éclairant les tables de la Loi.
Dans le fond, un château est à demi caché
par une montagne abrupte, familière à l'art
des Limbourg.*

35 bis.

*La seconde miniature est peinte au début
du psaume LXIII, que David composa lorsqu'il
se trouvait dans le désert de Juda. Le psalmiste
est couché sur le sol et dort, sa couronne devant lui,
la tête soutenue par son bras droit. Dans son sommeil,
il voit le Christ ressuscité sortant du tombeau
dont un ange retire le couvercle. Cette vision
est appelée par le verset où David, après avoir invoqué
Dieu qu'il cherche et dont il a soif, chante :
" Quand ton souvenir me revient sur ma couche,
je passe les veilles de la nuit à penser à toi. "
Comme ces deux miniatures, la grande lettre ornée
" I " tenant à la décoration de la marge, a été réalisée
par les Limbourg ou dans leur atelier.*

[F. 39v]

eus miserat
nū et benedicat
nobis illuminet uul
tum suum super nos
et miseratur nūi.
t cognoscamus m
terra uiam tuam in
omnibus gentibus
salutare tuum.
onfiteantur tibi
populi deus: confitean
tur tibi populi omnes.
etentur et exultēt
gentes qm iudicā popu
los in equitate et gentes
in terra dirigis.
onfiteantur tibi
populi deus: confiteā
tur tibi populi omnes
terra dedit fructum su
um.
enedicat nos deus

deus nr benedicat nos
deus et metuant eum
omnes fines terre.
loria patri et filio.

enedicite omnia
opera domini
domino: laudate et su
perexaltate eum in se
cula.

36. LES TROIS HÉBREUX
DANS LA FOURNAISE

*Le roi Nabuchodonosor ayant fait faire une statue
d'or voulait voir ses officiers et ses sujets se prosterner
et l'adorer. Trois Hébreux, Ananias (ou Sidrac),
Azarias (ou Abdénago) et Misaël (ou Misach)
s'y refusèrent. Ils furent jetés dans une fournaise.
Mais, par miracle, ils n'y furent pas brûlés et en
sortirent indemnes. Convaincu de la puissance
du Dieu des Hébreux, Nabuchodonosor ordonna
de désormais le respecter ainsi que ses serviteurs.
La miniature montre Nabuchodonosor, debout et
couronné, témoin du fait miraculeux, pendant
que l'homme qui est chargé d'attiser le feu
et d'y ajouter des fagots, se protège le visage.
Les Hébreux ne sont pas trois, mais quatre.
En effet, le livre de Daniel relate l'étonnement
du roi de Babylone lorsqu'il constate qu'au lieu
des trois jeunes hommes qu'il a fait jeter au feu,
la fournaise en contient quatre. "L'aspect du
quatrième est comme celui d'un fils des dieux."
Le traducteur de la Vulgate a transposé en "fils
de Dieu" et le Moyen Age
y a vu une préfiguration du Messie.
La fantaisie des frères de Limbourg a permis
à la fumée de la fournaise de s'échapper hors
du cadre préalablement tracé.
Le texte qui suit la miniature est tiré du cantique
des trois Hébreux dans la fournaise, tel qu'il est écrit
dans le livre du prophète Daniel.*

[F. 40v]

benedicite filij hominu
domino.

Benedicat israel do
minum: laudet et super
exaltet eum in secula.

Benedicite sacerdotes
domini domino: bene
dicite servi domini do
mino.

Benedicite spiritus
et anime iustorum
domino: benedicite sancti
et humiles corde dño.

Benedicite anania
azaria misael domino
laudate et superexaltate
eum in secula.

Benedicamus pa
trem et filium cum sancto
spiritu laudemus et su
perexaltemus eum se
cula.

Benedictus es dñe
in firmamento celi et
laudabilis et gloriosus
et superexaltatus eum
in secula. Amen.

Laudate dñm
de celis: lauda
te eum in excelsis.

Laudate eum om
nes angeli eius: lauda

37. DIEU PLANANT SUR LA TERRE ET SUR LES EAUX

Un boqueteau représente la terre; deux nefs sur l'océan symbolisent les eaux; dans les cieux,
le Christ plane, la main posée sur le globe et entouré d'anges aux ailes soit repliées, soit éployées.
Le psaume CXLVIII qui débute au-dessous de l'enluminure est une hymne à la puissance divine,
une louange universelle : " Louez Dieu du haut des cieux; louez-le dans les profondeurs du ciel.
Louez-le tous, vous, ses anges. Louez-le toutes, vous ses armées. Louez-le, soleil et lune. "
Le soleil et la lune ont leur place dans la partie supérieure de la miniature,
à droite et à gauche du Christ.

[F. 41v]

(Pages suivantes)

38. ZACHARIE ET L'ANGE GABRIEL

Tandis que Zacharie remplissait ses fonctions sacerdotales, un ange du Seigneur lui apparut,
debout à droite de l'autel, et lui annonça que sa femme Elisabeth, bien que déjà âgée,
lui donnerait un fils. Zacharie étant demeuré sceptique, l'ange Gabriel lui retira l'usage de la parole
jusqu'au jour de la naissance de l'enfant qui sera saint Jean-Baptiste.
La miniature des Limbourg représente l'annonce à Zacharie durant l'office qu'il célèbre et le profond
étonnement de celui-ci qui tourne la tête vers Gabriel.
Le chant de Zacharie tel que le donne saint Luc commence au-dessous de l'illustration.
La fantaisie aimable des artistes du duc de Berry se manifeste dans la bordure où
une sorte de cigogne, issue d'une fleur bleue, pince un serpent dans son bec.

[F. 43v]

39.

Cette page de texte se trouve dans les Heures de la Vierge.
Elle a été écrite et décorée à l'époque des Limbourg.

[F. 44r]

Enedictus dns
deus israel quia
usitauit et feat redemp
aonem plebi sue.

Et erexit cornu salu
tis nobis in domo dd
puer suu.

Sicut lotutus est per
os sanctorum qui a se
culo sunt prophetani
eius.

Salutem ex inimia[s]

nris et de manu omniu
qui oderunt nos.

Ad faciendam mi
sericordiam cum pa
bus nris et memorari
testamenti sui sancti.

Jusiurandum qd
iurauit ad abraham
patrem nsm daturum
se nobis.

Et sine timore de ma
nu inimicorum nro
ti liberati seruiamus illi

In sanctitate et ius
ticia coram ipso omni
bus diebus nris.

Et tu puer ppheta
altissimi uocaberis pre
ibis enim ante facie
domini parare uias
eius.

Ad dandum scientia

salutis plebi eius in re
missionem peccato
rum.

Per viscera misericordie dei
nostri in quibus visita
uit nos oriens ex alto

Illuminare hijs
qui in tenebris et in
umbra mortis sedent
ad dirigendos pedes n
ros in viam pacis.

Gloria patri et filio et.

Hec est regina vir ant
ginum que genuit regem
regum uelut rosa decora vir
go dei genitrix per quam re
perimus deum et hominem
alma virgo virginum in
tercede pro nobis ad dominum

Deus qui corda fidelium
sancti spiritus illustra cio

ne docuisti da nobis in
eodem spiritu recta sapere z
de eius semper sancta
consolacione gaudere.

Concede nos oro.
famulos tuos
quesumus domine deus perpetua
mentis et corporis sani
tate gaudere: et glorio
sa beate marie semper
virginis intercessione
a presenti liberari tristi
cia et eterna perfrui leticia.

Ecclesiam tuam or.
quesumus domine
benignus illustra ut be
ati iohannis apostoli tui
et euangeliste illumina
ta doctrinis ad dona p
ueniat sempiterna. Per
ipsum dominum nostrum.
Amen. Ad primam.

40. LA NATIVITÉ

*Cette miniature vient traditionnellement en tête de
la troisième partie des Heures de la Vierge,
que l'on appelle prime, c'est-à-dire la première
heure du jour. Dans ce tableau de la Nativité,
les Limbourg ont montré les ressources de leur
imagination en renouvelant le sujet, qu'ils avaient
déjà traité ailleurs. Dans les Belles Heures,
en effet, ils avaient représenté la Vierge couchée,
tenant l'Enfant Jésus dans ses bras. Ici l'Enfant
est sur un lit de paille, entouré d'angelots
aux ailes bleues; et la Vierge est à genoux
devant lui, en prière devant son divin fils.
Un rayon d'or vient du ciel jusqu'à lui;
et ce rayon est symbolique : il sort en effet
de la bouche même de Dieu, et projeté sur l'Enfant,
il désigne le Verbe incarné.
La scène se passe à l'entrée de la crèche,
dont le toit délabré laisse passer d'autres rayons.
Saint Joseph, à la longue barbe et aux cheveux
blancs, est agenouillé de l'autre côté de l'Enfant,
en admiration devant ce mystère.
Pour bien marquer que la scène se passe en Orient,
les Limbourg l'ont coiffé d'un turban à bout pointu,
de même qu'ils ont peint en or sur la robe de la Vierge
des caractères arabes.
Les miniaturistes n'ont pas manqué d'enjoliver
cette scène de détails anecdotiques : à gauche,
on aperçoit dans la crèche le bœuf et
l'âne traditionnels, venus d'un Évangile apocryphe;
et à l'autre extrémité de la crèche, des bergers,
appuyés au clayonnage, regardent de loin la
scène mystérieuse. A droite, d'autres bergers
écoutent le chœur des anges et cherchent en l'air
ces chanteurs célestes, annonçant la gloire de Dieu
et la paix sur la terre. Derrière les rayons d'or,
on entrevoit les portes d'une ville, où s'étagent
de grands édifices.
Tout en haut, dans le demi-cercle que forme
le cadre de la miniature, les Limbourg ont
représenté le Père éternel dans le ciel. Entouré
d'un cercle de chérubins flamboyants, il tient
un globe de la main gauche, et de la main droite
il bénit, tandis que de sa bouche sortent les rayons
qui l'unissent à son Fils. Sur ces rayons
vole une colombe : la miniature figure ainsi
la Trinité en même temps que le Verbe incarné.*

[F. 44v]

41. DAVID JOUANT DE LA HARPE

Le premier chant du psautier : " Bienheureux
l'homme qui ne va pas au conseil des méchants. "
est annoncé par une miniature harmonieuse
où les Limbourg ont représenté le roi David
faisant courir ses doigts
sur les cordes d'une harpe
et levant les yeux vers le ciel en chantant,
à genoux devant un autel.
Derrière lui, assis sur deux bancs, deux fidèles suivent
le texte dans leurs livres.
La scène se passe dans une chapelle
de style gothique très évolué. De très fines colonnettes
supportent des arcatures délicatement trilobées.

[F. 45r]

Sicut erat in prin
cipio et nunc et semper
et in secula seculorum.
Amen. alleluya. alla.

Eni crator p.
spiritus men
tes tuorum visita im
ple superna gracia que
tu crasti pectora.

Memento salutis
auctor quod nrm quo
dam corporis exilli ba
ta virgine nascendo
formam sumpsere.

Maria mater gracie
mater misericordie tu
nos ab hoste protege
et hora mortis suscipe.

Gloria tibi domine
qui natus es de virgi
ne cum patre sancto spi
ritu in sempiterna secla.

ant. Honorातu. ps. W.

Eatus vir qui
non abijt in
consilio impiorum et
in via peccatorum non
stetit et in cathedra pe
stilencie non sedit.

Sed in lege domini
uoluntas eius et in le

ge eius meditabitur die
ac nocte.

Et erit tanquam lig
num quod plantatu
est secus decursus aqua
rum quod fructum su
um dabit in tempore
suo.

Et folium eius non
defluet omnia queca
q̃ faciet semper prospe
rabuntur.

Non sic impyi non
sic sed tanquam pul
uis quem proicit uen
tus a facie terre.

Ideo non resurgunt
impyi in iudicio neq̃;
peccatores in consilio
iustorum.

Qui nouit dominus
uiam iustorum : et iter

impiorum peribit.
Gloria p̃ri et filio:

Et iare firmue
runt gentes et
populi meditati sunt
mania.

Astiterunt reges ter
re et principes conuene
runt in unum aduer
sus dominum et ad

42. LA DOMINATION DU MESSIE

Les frères de Limbourg ont choisi d'illustrer
le psaume deuxième par une scène d'anéantissement
de ceux qui ont tenté de se révolter contre
leur Seigneur : " Car les rois de la terre se sont
réunis et les princes tiennent conseil ensemble
contre Dieu et contre son Christ. " Mais le Seigneur
les " frappe d'épouvante dans son courroux " et
les cadavres sanglants des révoltés
jonchent le sol avec leurs armes.
Dieu le Père apparaît dans la partie supérieure
de la miniature et l'armée cuirassée de ceux
qui sont demeurés fidèles,
pennon et bannière flottant au vent, prie à genoux.
Le personnage casqué du premier rang
est probablement David
que l'on reconnaît à sa tunique rose
et à la ceinture jaune qu'il porte
dans d'autres petites peintures du manuscrit.
Son casque est surmonté d'une couronne.
Des ramages bleus ornent le fond
de l'enluminure et la colonne centrale est en partie
meublée d'oiseaux et de végétaux.

[F. 45v]

cauditores uocem mea.
Mane astabo tibi
et uidebo quoniam
non deus uolens nu
quitatem tues.
Neqз habitabit iu
rta te malignus neqз
permanebunt iuusti
ante oculos tuos.
odisti omnes qui
opiantur miquita
tem perdes omnes qui
loquntur mendacium.
uirum sanguinū
et dolosum abhomia
bitur dominus ego
autem in multitudi
ne misericordie tue.
Introibo in domū
tuam adorabo ad tem
plum sanctum tuum
in timore tuo.

ibus mea au
ribus percipe
domine intellige cla
morem meum.
Intende uoci oxo
nis mee rex meus z
deus meus.
Quoniam ad te do
mine orabo mane

43. DAVID IMPLORANT DIEU CONTRE LES MÉCHANTS

Revêtu de son vêtement habituel, couronne en tête,
David supplie Dieu à genoux de le protéger
contre les méchants, les insensés,
les artisans de mensonge, les hommes de sang et de ruse.
Tous les personnages qui se groupent derrière le roi
en prière, représentent les ennemis contre lesquels
le psalmiste demande à être protégé. Ou bien
ils considèrent celui-ci avec pitié et condescendance,
ou bien ils complotent entre eux leur révolte,
vêtus de ces longues robes et de ces coiffures
variées que leur attribuent les artistes
du duc de Berry.
Sous cette miniature est transcrit le psaume
cinquième : " Prête oreille à ma prière, ô Dieu;
entends le murmure de mes lèvres. "
Dans les entrelacs de la marge apparaissent,
à côté des oiseaux, des insectes, mouche et papillon.
La lettrine représente un personnage barbu tenant
devant lui, dans ses mains, un livre ouvert.

[F. 46v]

44. L'ANNONCE AUX BERGERS

Dans cette miniature, placée au début de l'heure de tierce, nous retrouvons l'attitude,
si bien observée et si naturellement rendue, des bergers, la tête renversée, la main au front,
cherchant à distinguer dans le ciel les anges qui annoncent la naissance de l'enfant divin : attitude
que les Limbourg avaient déjà esquissée dans la peinture de la Nativité. Ici les bergers sont trois :
un vieillard, un jeune homme, une femme. Tandis que les deux hommes cherchent à voir d'où vient
l'annonce merveilleuse qui leur est faite, la femme leur montre, d'un geste de la main,
les anges dans le ciel. Ces anges, tout aériens et lumineux, apparaissent
en trois groupes : à droite, l'un sonne de la trompe, l'autre joue de la viole; à gauche, l'un joue
du luth, l'autre du tambourin; et au centre, cinq anges chantent en chœur, en suivant sur un rouleau
de parchemin, où les Limbourg, soigneux dans le détail comme dans l'ensemble, ont marqué jusqu'aux
portées, aux notes et aux lettrines, en rouge.
Le paysage représente à droite une colline où paissent les moutons, tandis qu'un chien noir et blanc
est couché aux pieds des bergers; à gauche, une de ces montagnes en pain de sucre, chères aux
Limbourg, où les strates s'inclinent de droite à gauche. De ses flancs coule une source,
dont l'eau est recueillie dans un bassin servant sans doute à abreuver les bêtes. Derrière la montagne,
on aperçoit d'autres bergers avec leurs moutons, puis les monuments d'une ville, qui est censée être
Bethléem, " la cité de David ", où l'ange a annoncé qu'était né un Sauveur.
En réalité, les miniaturistes ont voulu, comme ailleurs, y rappeler quelques édifices chers au
duc de Berry; Paul Durrieu a cru reconnaître des monuments de Poitiers. " L'édifice au centre,
vu par l'angle, serait la tour Maubergeon. Dans le grand clocher placé sur la droite, on pourrait
reconnaître le clocher, aujourd'hui détruit, de la collégiale de Saint-Hilaire. "

[F. 48r]

(Pages suivantes)
45. PSAUME CXX

A genoux devant la face de Dieu qui apparaît dans les nuées du ciel, David, sans sa couronne,
couvert d'un long manteau de couleur bleue, prie le Seigneur. Le psaume qui suit cette miniature, est
un de ces " cantique des montées " que les pèlerins chantaient en montant vers la ville sainte :
" Quand je suis dans la tribulation, j'invoque Dieu et il m'exauce. " Sur la droite de David,
se dresse un château qui est peut-être celui du roi.
La garniture de rinceaux dorés sur fond bleu se retrouve dans d'autres miniatures des Limbourg.
Les deux lettres majuscules de la page sont décorées
l'une d'un oiseau blanc, l'autre de l'ours du frère de Charles V.

[F. 48v]

46. DAVID DÉLIVRE DES PRISONNIERS

Debout, couronne sur la tête, vêtu d'un grand manteau rose à bordures d'or, David
fait sortir des prisonniers du château qui leur servait de prison. Le premier de ceux-ci ressemble
de façon frappante au Christ tel que les frères de Limbourg ont l'habitude de le représenter dans
leurs miniatures. Il a les poignets pris dans des sortes de menottes reliées l'une à l'autre par
une barre de fer, à la façon des geôles médiévales.
Le psaume CXXI qui commence sous cette enluminure semble appeler une traduction plastique
différente : " Il ne sommeillera pas ton gardien. " Mais c'est Dieu le gardien et il n'a pas
besoin de prisons : " Oui, le Seigneur est ton gardien... Il te gardera de tout mal. "

[F. 49r]

Eus in ad Domine ad adiuua
iutonium dium me festina.
meum in Gloria pri et filio et
tende. spiritu sancto.

Sicut erat in princi
pio et nunc et semper
et in secula seculorum
Amen alleluya alla.

Veni crator
spiritus men
tes tuorum visita im
ple superna gracia q̃
tu crasti pectora.

Memento salutis
auctor quod nr̃i quon
dam corporis exilliba
ta virgine nascendo
formam sumpseris.

Maria mater gracie
mater mĩe tu nos ab
hoste protege et hora mor
tis suscipe.

Gloria tibi domine
qui natus es de virgie
cum pr̃e sancto spu̅ in
sempiterna secula. X.

añ. Dignare me.

Ad dominum
cum tribularer
clamaui et exaudiuit
me.

Domine animam
meam alabys muq̃s
et alingua dolosa.

Quid detur tibi aut
quid apponatur tibi

ad linguam dolosam.
Sagitte potentis ac
cute cum carbonibus
desolatorijs.
Heu michi quia inco
latus meus prolonga
tus est habitaui cum ha
bitantibus cedar multu
incola fuit anima mea.
Cum hijs qui oderit
pacem eram pacificus
cum loquebar illis im
pugnabant me gratis
Gloria patri et filio z
spiritui sancto.
Sicut erat in princi
pio et nunc et semper z
in secula seculorum.
Amen.

Leuaui oculos
meos in mon
tes unde ueniet auxili
um michi.
Auxilium meum
a domino: qui fecit ce
lum et terram.
Non det in commo
cionem pedem tuum
neq3 dormitet qui cus
todit te.
Ecce non dormita

bit neq; dormiet qui cu
stodit israel.

Dominus custodit
te dominus protectio
tua super manum dex
teram tuam.

Per diem sol non u
ret te neq; luna per noc
tem.

Dominus custodit
te ab omni malo custo
diat animam tuam
dominus.

Dominus custodi
at introitum tuum ꝫ
exitum ex hoc nunc et
usq; in seculum.

Gloria patri et filio
et spiritui sancto.

etatus sum in
hijs que dicta
sunt michi in domum
domini ibimus.

Stantes erant pedes
nri in atrijs tuis iorlm.

Iherusalem que edi
ficatur ut ciuitas cuius
participacio eius in id
ipsum.

Illuc enim ascende
runt tribus tribus dni

testmoniu

47. CONSTRUCTION A JÉRUSALEM

Le psaume CXXII, autre cantique des montées,
parle de la maison du Seigneur et des
constructions faites à Jérusalem : " Nous monterons
à la demeure du Seigneur. Nos pieds foulent
maintenant les seuils de tes portes, Jérusalem.
Ô Jérusalem, ville si bien bâtie que tout s'y groupe
en un ensemble parfait. "
La miniature en tête de ce psaume peint
la construction d'un édifice. S'agit-il d'une
construction religieuse ou d'une construction civile ?
L'escalier de six marches visibles, une septième étant
vraisemblablement cachée par le manteau, indiquerait
qu'il s'agit plutôt d'une chapelle, peut-être du
Temple de Jérusalem dont on attribuait parfois
la construction à David, de même que les arcs-boutants
qui l'accolent. Au moyen d'une corde s'enroulant
sur une poulie, les pierres sont haussées au niveau
des maçons. L'un de ces ouvriers sculpte peut-être
la pierre tandis que l'autre actionne la pièce de bois
qui permet la montée des matériaux.

[F. 49v]

(Page suivante)

48. LA RENCONTRE DES MAGES

*Les Limbourg, pour plaire peut-être
à leur protecteur princier, ont donné une importance
particulière à l'illustration traditionnelle de
l'Adoration des Mages. Ils lui ont consacré deux
grandes miniatures : la Rencontre des mages
et l'Adoration proprement dite.
La Rencontre des mages fait partie des nombreuses
et pittoresques traditions qui avaient cours au
Moyen Age, où ces personnages venus d'Orient
pour adorer l'Enfant Jésus et lui offrir de l'or,
de l'encens et de la myrrhe, excitaient les imaginations.
Bien que saint Matthieu, le seul des évangélistes qui
en parle, dise seulement : " Des mages
vinrent d'Orient à Jérusalem ", depuis
les commentaires des Pères leur nombre était fixé
traditionnellement à trois; et l'on croyait
que c'était en même temps des rois, venus des lointains
pays des aromates et de l'or. On les imaginait aussi
d'âge différent : le premier, Melchior, un vieillard
offrant l'or; le second, Gaspar, un jeune homme
imberbe, présentant l'encens; le dernier, Balthazar,
un homme mûr, barbu, apportant la myrrhe.
Tels sont les rois mages qui, venus de points différents,
se rencontrent en un carrefour, marqué par
une Montjoie, délicatement ouvragée. Au temps
des croisades, il y avait ainsi une Montjoie qui signalait
pour les pèlerins venus de Jaffa l'endroit d'où l'on
apercevait Jérusalem. En bas, à droite, Melchior est
coiffé et vêtu, semble-t-il, comme l'empereur byzantin
Manuel Paléologue. A gauche, Balthazar, qui
évoquerait plutôt un sultan avec son turban et
sa barbe noire, est inspiré d'une médaille de
Constantin, que possédait le duc de Berry. Quant à
Gaspar, que l'on voit en haut et à droite, jeune
et sans barbe, il rappelle dans ses traits
le type des premiers Césars. Pour bien marquer qu'ils
viennent d'Orient, les Limbourg, soucieux de couleur
locale, ont représenté les personnages de la suite coiffés
de turbans; et des animaux exotiques, chameaux
et guépards, les accompagnent.
Du carrefour, on aperçoit les monuments d'une
ville, qui est censée être Jérusalem. En fait,
ces monuments sont aisément reconnaissables :
la Sainte-Chapelle, le Palais, Notre-Dame, et
sur une hauteur, l'abbaye de Montmartre;
tandis que de l'autre côté se dresse un château
qui est peut-être celui de Montlhéry.*

[F. 51v]

(Page suivante)

49. L'ADORATION DES MAGES

*Cette peinture, de même que la précédente,
constitue un hors-texte. Toutes les deux
ont été ajoutées après coup au manuscrit,
où elles figurent vis-à-vis, la première à gauche,
la seconde à droite, comme une sorte de diptyque.
Nous retrouvons ici les mêmes personnages,
mais réunis et groupés sur la droite pour l'adoration
de l'Enfant Jésus. Melchior, qui a enlevé son curieux
diadème, s'est avancé le premier; et prosterné,
il baise les pieds de l'Enfant qui, se penchant vers lui,
fait sur son front le geste de la bénédiction.
Derrière lui, Gaspar s'est agenouillé;
il a quitté, lui aussi, sa couronne et il tient
dans ses mains le vase précieux qui contient son présent.
A sa gauche, Balthazar, tête nue, se prosterne,
la face contre terre. En arrière des rois s'est agenouillée
leur suite, parmi laquelle on distingue des noirs;
tandis que plus haut arrive le reste du cortège,
portant les bannières des rois. Au milieu
de tous ces gens à turbans, on distingue les bêtes
exotiques qui figuraient déjà dans la rencontre
des mages : un chameau, dont la tête dépasse celles
des chevaux; et aux côtés des rois,
trois guépards; les artistes avaient pu observer
à la cour de Bourgogne une de ces curieuses bêtes,
donnée par Jean-Galéas Visconti. Ces guépards sont là
dans une pose naturelle, l'un lissant son
museau de sa patte, l'autre dressé sur ses pattes
de devant et regardant l'Enfant.
La Vierge est assise au seuil de la maison et tend Jésus
à Melchior. Joseph se tient à sa gauche,
un genou en terre. Derrière elle, des femmes
sont agenouillées; plus loin, au-delà de
la clôture, des bergers regardent curieusement
la scène. Au-dessus, dans le ciel, brille
l'étoile des mages, qui projette son rayon
vers la Vierge et l'Enfant, et qui est
entourée d'un chœur d'anges. Dans le fond, à droite,
on aperçoit une ville; mais ce n'est plus Paris, c'est
Bourges, capitale du Berry, dont on distingue
la Grosse Tour, la masse de la cathédrale
et la flèche de la Sainte-Chapelle.
Cette scène pittoresque fait penser aux tableaux
de certains italiens, Stefano da Zevio,
Gentile da Fabriano. Mais qu'on ne s'y trompe pas :
elle était peinte, les Limbourg même étaient
morts bien avant qu'aient été exécutées
les œuvres de ces artistes.*

[F. 52r]

(Pages suivantes)

50. 51. 52. TROIS PRIÈRES DE DAVID

*La première miniature représente David à genoux
manifestant sa confiance en Dieu en chantant
le psaume CXXIII et en regardant le Seigneur
qui lui apparaît dans les nuages :
" Je tiens les yeux levés vers toi qui trônes dans
les cieux, comme les yeux des serviteurs restent fixés
sur les mains de leurs maîtres et
les yeux de la servante sur celles de sa maîtresse. "
Derrière les barreaux d'une fenêtre ménagée
dans le mur d'une tour, plusieurs personnages
représentent probablement les serviteurs et la servante
du cantique. Le fond de la miniature
s'ouvre sur un paysage serein.*

[F. 52v]

*C'est dans une église, à genoux devant l'autel,
que prie David dans la seconde de ces enluminures,
annonçant le psaume CXXIV qui est une hymne
d'action de grâces pour la protection divine :
" Béni soit le Seigneur qui ne nous a pas livrés
en proie aux dents de nos ennemis. "
Une porte ouverte, sur la gauche de la miniature,
permet une échappée sur une rue médiévale
bordée de maisons étroites.*

[F. 53r]

*L'église de la troisième miniature est différente
de la précédente par la forme de ses colonnes et de
ses pilastres et par l'absence de sculpture.
Un livre ouvert devant lui, David entonne à genoux
le psaume CXXV, qui est une demande de secours :
" Ô Seigneur, traite donc avec bonté ceux
qui sont bons et qui ont le cœur droit. "
Deux sur trois de ces peintures, dues à Jean Colombe,
sont de dimension plus grande que celles
des frères de Limbourg, l'artiste ayant
utilisé la place laissée libre pour la légende.*

[F. 53v]

(Pages suivantes)

53. 54. 55. PSAUMES
CXXVI, CXXVII ET CXXVIII

David prie devant une chapelle ouverte.
Derrière lui plusieurs personnages sortent d'une maison
pour s'associer, semble-t-il, à sa prière.
A l'arrière-plan, un paysage de collines
herbues bleuit dans le lointain. Ce psaume a été
conçu au retour de l'exil et ceux qui se trouvent
derrière David sont des Israélites revenus de captivité.
"Quand Dieu fit revenir les captifs de Sion,
ce fut pour nous une grande consolation."

[F. 55r]

Le psaume CXXVII débute ainsi :
" Si Dieu ne bâtit la demeure, en vain y travaillent
ceux qui la construisent."
Le peintre a saisi le sens littéral de ce verset en montrant
la construction d'une grande maison.
L'édifice est presque achevé; un ouvrier monte sur son
dos, par un escalier, une lourde pierre, tandis que
deux autres achèvent de couvrir le toit de tuiles.
David montre sa maison aux hommes de son peuple.

[F. 55v]

Jean Colombe s'attache à peindre, dans
la miniature suivante, le bonheur du juste, craignant
Dieu et récompensé : " Tes fils seront
comme les rejetons de l'olivier à l'entour de ta table...
Puisses-tu voir les enfants de tes enfants."
Le patriarche, assis noblement sur une chaire, réunit
autour de lui ses fils dans sa maison.

[F. 56r]

Eus in ad
iutonum
meum in
tende.

Domme ad adui
uandu me festina.

Gloria pri. ymnus.
Veni creator sps
mentes tuoru
uisita imple superna
gratia que tu creasti
pectora.

Quincto salutis auc
tor quod nri quonda
corporis ex illibata uir
gine nascendo forma
sumpseris.

Maria mr gre mi
nuc tu nos abhoste p
tege thora mortis sueci.

Gloria tibi dne qui na
tus es de virgie.

aut. Post partu. ps dd.
D te leuaui o
culos meos:
qui hitas in celis.

Ecce sicut oculi seruo
rum in manibus do
mmorum suorum.

Sicut oculi ancille
in manibus domine

sue ita oculi nri ad
dnm deu nostrum do
nec misereatur nri.
Miserere nri dne
miserere nri quia
multu repleti sum
despectione.
Quia multum
repleta est anima
nra opprobrium ha
buandantibus et despe
tio superbis

Nisi quia domi
nus erat in
nobis dicat nunc is
rael nisi quia dominus
erat in nobis.
Cum exurgerent
homines in nos forte
uiuos degluissent
nos.
Cum irasceretur
furor eorum in nos for
sitam aqua absor
buisset nos
Torrentem pertran
siuit anima nra for
sitan pertransisset a
nima nra aquam
intollerabilem
Benedictus domi
nus qui non dedit
nos in captione den
tibus eorum

nima nostra sicut passer erepta est de laqueo uenantium.
Laqueus contritus est et nos liberati sumus
Adiutorium nostrum in nomine domini qui fecit celum et terram
Gloria patri

Qui confidunt in domino

sicut mons syon non commouebitur in eternum qui habitat in Iherusalem
Montes in circuitu eius et dominus in circuitu populi sui ex hoc nunc et usque in seculum.
Quia non relinquet dominus uirgam peccatorum super sortem iustorum ut non extendant iusti ad iniquitatem manus suas.
Bene fac domine bonis et rectis corde.
Declinantes autem in obligationes adducet dominus cum operantibus iniquitatem pax super israel.
Gloria patri et filio

pio et nunc et semper
et in secula seculorum.
amen. ymnus
Nem arator spiri
tus mentes tu
orum uisita imple su
perna gracia que tu cre
asti pectora.
Memento salutis
auctor quod nri quon
dam corporis exillibata
uirgine nascendo for
mam sumpseris.
Maria mater gracie
mater misericordie tu
nos ab hoste protege et
hora mortis suscipe
Gloria tibi domine
qui natus es de uirgie
cum pre sancto spiritu
in sempiterna secula.
Amen.

Ant Sicut lilium. ps co.
In conuertendo
dominus capti
uitatem syon fa
cti sumus sicut consolati.
Tunc repletum est
gaudio os nrm et lin
gua nra in exultacione.
Tunc dicent inter ge

tes magnificauit dns
facere aum eis.
Magnificauit dns
facere nobiscum fti n
sumus letantes.
Conuertere domine
captiuitatem nram si
aut torrens in austro.
Qui seminant in
lacrimis in exultacio
ne metent.
Euntes ibant et fle
bant mittentes semina
sua.
Uenientes autem
uenient aum exultaci
one portantes mani
pulos suos.
Gloria pri et filio.

Isi dominus
edificauerit
domum in uanum
laborauerunt qui edi
ficant eam.
Nisi dominus edifi
cauerit ciuitatem fru
stra uigilat qui austo
dit eam.
Uanum est uobis
ante lucem surgere sur

gitte postq̄ sedentis qui
manducatis panem
doloris. 🟦

Cum dederit dilectꝰ
suis sompnium ecce he
reditas domini filij m
ers fructus uentris. 🟦

Sicut sagitte in ma
nu potentis ita filij ex
cussorum. 🟦

Beatus uir qui im
pleuit desideriū suū
ex ipsis non confunde
tur cum loquetur in
imicis suis in porta. 🟦

Gloria p̄ri et filio et
spiritui sancto. 🟦

Sicut erat in princi
pio et nunc et semp̄ et.

Eati omnes
qui timent do
minum et qui ambu
lant in uijs eius. 🟦

Labores manuū
tuarum quia man
ducabis beatus es et be
ne tibi erit. 🟦

Vror tua sicut uitis
habundans in lateri
bus domus tue. 🟦

Filij tui sicut nouel

56. LA PURIFICATION

Quarante jours après la naissance de Jésus,
le moment de la Purification étant venu suivant la loi
de Moïse, Marie se rendit à Jérusalem pour présenter
son enfant au Seigneur, rapporte saint Luc;
et elle offrit en sacrifice, comme il était ordonné,
deux jeunes colombes.
Telle est la scène que les Limbourg ont représentée
dans cette miniature placée au début de l'heure de none.
On a été frappé de l'ordonnance générale
que l'on y voit et qui rappelle nettement une fresque
de Taddeo Gaddi à Santa Croce de Florence.
La disposition, dans l'ensemble, est la même;
et il n'est pas jusqu'à certains détails, comme
les enfants au bas des marches, que l'on ne retrouve.
Est-ce à dire, toutefois, que les Limbourg se sont
inspirés de cette fresque? D'autres peintres italiens
l'ont imitée à Florence, à Prato, à Padoue. Il n'est
même pas nécessaire que les Limbourg aient connu
l'une de ces répliques. Dans le milieu international
des arts de cette époque, des artistes allaient d'un pays
à un autre, fréquentant les cours princières de France;
des croquis, des schémas circulaient dans les ateliers;
des dessins figuraient dans les collections princières.
On ne saurait donc préciser exactement comment
a pu se produire cette influence plus ou moins directe.
De nettes différences, d'ailleurs, existent entre les
deux scènes : Taddeo Gaddi a peint la Présentation
de la Vierge au Temple, Paul de Limbourg
la Présentation de l'Enfant Jésus.
Dans la fresque de Florence, le personnage central,
celui que l'on voit sur les marches, est Marie enfant;
ici, chose curieuse, ce n'est même pas la Vierge,
c'est une jeune femme portant les deux colombes
de l'offrande, et dont le port déhanché est
caractéristique du style français de l'époque.
La Vierge est placée au bas des marches,
serrant son enfant enveloppé dans son grand
manteau bleu. Saint Joseph s'avance derrière elle,
coiffé et vêtu à l'orientale. Dans le groupe de droite,
les Limbourg se sont plu à peindre
des costumes pittoresques, pour accentuer la
couleur locale : des robes brodées d'arabesques,
des coiffures à longue corne. En haut des marches,
le grand-prêtre porte une tiare d'or.
Le décor architectural est luxueux : l'escalier,
les soubassements sont en marbre de diverses couleurs;
les voûtes du Temple sont peintes en rouge.
Et pour ajouter de la vie par un détail
anecdotique, des fenêtres d'une maison voisine aux
hautes cheminées, des gens regardent la scène.

[F. 54v]

57. LA FUITE EN ÉGYPTE

La fuite en Égypte, placée en tête des Vêpres de la Vierge, est la seule des illustrations des Heures mariales que les Limbourg n'aient pas eu le temps de peindre. Jean Colombe lui a consacré deux miniatures superposées : une grande, de format habituel, au-dessous de laquelle se trouve comme en une sorte de prédelle, une autre plus petite, le tout dans un cadre d'architecture assez lourd. Toutes deux illustrent des anecdotes qui avaient cours au Moyen Age. La première vient d'un apocryphe, l'Évangile de la Nativité de Marie et de l'Enfance du Sauveur. Au troisième jour de marche, conte ce texte, la Vierge fatiguée s'arrêta sous un arbre et désira de ses fruits. Mais l'arbre était haut et saint Joseph ne pouvait les atteindre. Alors l'Enfant Jésus lui dit : " Arbre, incline tes branches et nourris ma mère de tes fruits. " Et l'arbre s'inclina de telle sorte qu'ils purent en cueillir et s'en nourrir tous. Jean Colombe a traité ce sujet avec ses qualités, son brio habituels, dans un cadre de montagnes bleuâtres et de rochers, qui ne semble guère désert.

Jésus, qui est déjà un grand enfant, semble parler à l'arbre; et celui-ci s'incline à portée de la main. Joseph cueille de ses fruits et en donne à Marie. Il a le type lourd et barbu fréquent dans les miniatures de Jean Colombe. La Vierge, au front dégagé, aux longs cheveux dorés, garde, dans son attitude déhanchée qui était de mode, un air de charmante modestie. D'autres personnages assistent à la scène : à droite, des villageois étonnés devant le geste de Jésus; à gauche, deux mignonnes jeunes filles, dont l'une semble montrer à l'autre, qui s'en émerveille, un fruit qu'elle a pu cueillir à cette occasion.

La scène du bas de la page illustre une autre anecdote relative à la fuite en Égypte. La Vierge et l'Enfant fuyant les gens d'Hérode rencontrèrent un laboureur qui semait du blé. Jésus, mettant la main au sac, en jeta une pleine poignée sur le chemin; immédiatement le blé poussa, si haut et si mûr que si un an avait passé. Aussi, quand les gens d'Hérode arrivèrent demandant au laboureur s'il n'avait pas vu une femme portant un enfant, le paysan leur répondit : " Oui, quand je semais ce blé. " Alors, ils renoncèrent à aller plus loin et s'en retournèrent.

On remarquera encore dans cette page la lettrine où la figure de l'Enfant Jésus est simplement modelée par de fines touches d'or.

[F. 57r]

Ad vesperas. Domine ad adiuua
Deus in adiu dium me festina
torium me Gloria patri et filio
um intende et spiritui sancto.

mo ipo deus spiritu
sancto tunus honor
unus. amen. versus
Post partum virgo invio
lata permansisti. Respon.
Dei genitrix intercede p
nobis. ℣. Sancta maria.

Magnificat aia
mea dnm

Et exultauit spus
meus in deo salutari
meo.
Quia respexit humili
tatem ancille sue: ecce
enim ex hoc beatam
me dicent omnes ge
nerationes.
Quia fecit michi
magna qui potens est
et sanctum nomen eius.
Et misericordia eius
a progenie in progeni
es timentibus eum.
Fecit potentiam in
brachio suo: dispersit
superbos mente cordis
sui.
Deposuit potentes
de sede: et exaltauit hu
miles.
Esurientes imple

58. LA VISITATION

*Après l'Annonciation, selon saint Luc, la Vierge
Marie quitta la Galilée pour le pays de Juda
où elle fut accueillie par Zacharie et Elisabeth.
Celle-ci, inspirée par l'Esprit-Saint la salua
en disant : " Tu es bénie entre les femmes
et le fruit de tes entrailles est béni.
Et comment m'est-il donné que la mère de mon
Seigneur vienne à moi ? " La Vierge entonna
alors le chant du Magnificat qui est transcrit
au-dessous de la miniature et qui se poursuit
à la page suivante.
La scène représente la maison d'Elisabeth
et de Zacharie. Les deux femmes, Elisabeth
saisissant Marie par le poignet, se tiennent debout
devant une haute cheminée et un banc sur lequel
est ouvert un livre. Des pots, un soufflet, un bocal
sphérique enveloppé d'une tresse d'osier, sont posés
ou accrochés sur cette cheminée dans laquelle
on aperçoit deux landiers. Par une fenêtre
dont les volets de bois sont ouverts, on distingue
nettement, à quelque distance,
une forteresse aux toits rouges.
Si la miniature est de la main de Jean Colombe,
la lettrine avec son lapin et les feuillages
de la marge datent de l'époque des Limbourg.*

[F. 59v]

Onuerte
nos deus
salutaris
noster.

Et auerte iram tu
a nobis.
Deus in adiuto
rium meum

59. LE COURONNEMENT DE LA VIERGE

Le couronnement de la Vierge, qui illustre
la dernière des Heures, complies, clôt
magnifiquement la série des miniatures consacrées
à Marie. Les Limbourg l'ont traité d'une manière
digne de ce grand sujet, qui a particulièrement
inspiré, depuis le XIIIe siècle, les artistes du
Moyen Age. Sur le fond bleu du ciel, ils ont
développé une grande arabesque d'or, faite
des ailes des anges et des auréoles des saints,
où la pourpre du manteau de la Vierge
joue à côté du bleu profond de celui du Christ.
Marie n'est pas assise à la droite de Jésus,
comme on voit au portail de nombreuses
cathédrales : suivant une formule nouvelle,
qu'illustrera bientôt Fra Angelico, elle est
agenouillée devant son Fils, inclinant la tête
sous sa bénédiction. Ce n'est pas lui qui la
couronne, c'est un ange qui s'apprête à le faire,
suivant une tradition de l'art français.
Le Christ lui-même porte couronne;
et étagées au-dessus de lui,
des chérubins tiennent trois autres couronnes,
peut-être pour symboliser la Trinité.
Derrière la Vierge et au-dessus d'elle flamboient
les ailes des anges, comme pour illustrer les vers
de Dante au trente et unième chant du Paradis :
" Tout alentour, les ailes étendues, je vis
plus de mille anges en fête, différant chacun
d'éclat et de splendeur." Les uns tiennent
sa traîne ou lui servent de suite; les autres,
dans le ciel, jouent d'instruments divers : trompe,
luth, viole, orgue portatif, harpe, tympanon.
Sur la droite se joint à leur louange un cortège
de saints, parmi lesquels on peut reconnaître
saint Pierre et saint Paul, reconnaissables l'un à
sa barbe et ses cheveux crépus, l'autre à sa
calvitie, sainte Claire, au pur visage, au-dessous
de qui l'on voit une vierge au cou dégagé,
peut-être sainte Catherine, dont les Limbourg
ont peint l'histoire dans les Belles Heures,
puis une reine tenant sa couronne à son bras,
comme un bracelet. Sur le devant, aux pieds
de la Vierge, se tiennent trois autres saints :
saint Étienne, saint François et un évêque
qu'on ne peut préciser, puisqu'il est sans attribut :
peut-être saint Denis, car il est vêtu
de la pourpre des martyrs.

[F. 60v]

60. PSAUME XIII

*David supplie le Seigneur de ne plus l'oublier,
de ne plus détourner de lui sa face :
" Que mon ennemi ne s'écrie pas : " Je l'ai vaincu "
et que mes adversaires ne triomphent en
me voyant chanceler. " Le peintre a représenté
sur la gauche le peuple d'Israël menacé par
l'attaque des cavaliers ennemis.*

[F. 61r]

(Pages suivantes)

61. PSAUME XLIII

*Jean Colombe a représenté David à genoux,
en prière, devant Dieu qui lui apparaît au-dessus
d'un autel. Enfermés dans deux tours, derrière
des ouvertures grillagées, des groupes symbolisent
le peuple opprimé pour lequel prie David.*

[F. 61v]

62. PSAUME CXXIX

*Toujours en prière, David rappelle au
Seigneur que ses ennemis l'ont persécuté depuis sa
jeunesse, mais qu'ils ne l'ont pas vaincu. Le groupe
d'hommes qui se situe sur la gauche de la miniature
représente les ennemis de David qui complotent
contre lui, mais qui seront confondus.*

[F. 62r]

63. PSAUME CXXXI

*Le cantique de David qu'illustre cette miniature
est une hymne de confiance et d'humilité. " Semblable
à l'enfant sevré dans les bras de sa mère, ainsi est
mon âme. " L'imagination de l'artiste s'est trouvée
en défaut dans plusieurs de ces psaumes et il n'a pu
que nous montrer le roi d'Israël, à genoux devant son
créateur, dans un décor varié : ici, devant la
porte ouverte d'une chapelle flamboyante.*

[F. 62v]

64. PRÉSENTATION DE JÉSUS AU TEMPLE

*Siméon, homme juste et pieux, savait qu'il ne
mourrait pas sans avoir vu le Christ. Poussé par
l'Esprit-Saint, il s'était rendu au Temple au moment
où la Vierge venait y offrir au Seigneur
un couple de tourterelles ou de colombes en sacrifice
à l'occasion de son fils premier-né. Siméon, que l'on
voit à droite sur la miniature, se prépare à recevoir
de la Vierge l'Enfant Jésus et va entonner le
Nunc dimittis : " Maintenant, ô maître souverain,
tu peux, selon la parole, laisser ton
serviteur s'en aller en paix. "*

[F. 63r]

intende. Domine ad adiuuan
dum me festina. Gloria pri et filio et
spiritui sancto. Sicut erat in princi
pio et nunc et semper.
ant. Sancta dei genitrix.

Usquequo dne
obliuisceris me

in finem usquequo a
uertis faciem tuam a
me. Quam diu ponam
consilia in anima me
a dolorem in corde me
o per diem. Usquequo exaltabi
tur inimicus meus su
per me respice et exaudi
me domine deus meus.
Illumina oculos
meos ne unquam ob
dormia in morte neqn
do dicat inimicus me
preualui aduersus eu.
Qui tribulant me
exultabunt si motus
fuero autem in miseri
cordia tua speraui
Exultabit cor meu
in salutari tuo canta

bo domino qui bona
tribuit michi et psal
lam nomini domini
altissimi.
Gloria patri et filio.

gente non sancta ab
homine iniquo et do
loso erue me.
Quia tu es deus for
titudo mea quare me
repulisti et quare tristis
incedo dum affligit me
inimicus.
Emitte lucem tuam
et veritatem tuam ipsa
me deduxerunt et addu
xerunt in montem sanc
tum tuum et in tabna
cula tua.
Et introibo ad alta
re dei ad deum qui leti
ficat iuventutem mea.
Confitebor tibi in
cythara deus deus me
quare tristis es anima
mea et conturbas con
turbas me.

Iudica me deus
et discerne cau
sam meam de

Spera in deo quoni
am adhuc confitebor
illi salutare uultus mei
et deus meus.
Gloria patri et filio.

Sepe expugnauerunt
me a iuuentute mea
et enim non potuerunt
michi.
Supra dorsum me
um fabricauerunt pec
catores prolongauer
iniquitatem suam.
Dominus iustus
concidet ceruices pecca
torum confundantur
et conuertantur retror
sum omnes qui oderunt
syon.
Fiant sicut fenum
tectorum quod priusq
euellatur exaruit.
De quo non imple
uit manum suam qui
mettet et sinum suum
qui manipulos colli
get.

Sepe expugnaue
runt me a iuuen
tute mea dicat nunc
israel.

Et non dixerunt qui
preteribant benedictio
domini super nos bene
diximus uobis in no
mine domini. Glo
ria pri et filio.

Domine non
est exaltatum
cor meum neque elati

sunt oculi mei. Ne
que ambulaui in
magnis neque in mira
bilibus super me. Si
non humiliter
senciebam sed exaltaui
animam meam. Sicut ablatatus est
super matre sua: ita retri
bucio in anima mea. Speret israel in domino
ex hoc nunc et usque in se
culum. Gloria patri et filio
et spiritui sancto. ant. Sancta dei genitrix uir
go semp maria intercede p
nobis ad dominum deum nostrum. Tugo dei ymnus.
genitur quem
totus non capit orbis
in tua se clausit uiscera

factus homo.

Vera fides geniti pur
gauit crimina mundi
et tibi virginitas inuio
lata manet.

Te matrem pietatis
opem te clamitat orbis
subuenias famulis o
benedicta tuis.

Gloria magna pri
compar tibi gloria na
te cum sancto spiritu glo
ria magna patri. Amen.

Sicut capitulum.

Cynamomium
et balsamum aromati
zans odorem dedi quasi
mirra electa dedi suaui
tatem odoris. Deo gras.

Ecce ancilla domini. R.

Fiat michi secundum ũ
bium tuum. antiphona.

Cum iocunditate. ps.

Nunc dimittis
seruum tuũ
domine: secundum
uerbum tuum i pace.

Quia uiderunt oci
mei: salutare tuum.

Quod parasti ante

65. LA CHUTE DES ANGES REBELLES

Cette miniature des Limbourg est une des plus
originales et des plus belles, par l'extraordinaire
mouvement des anges rebelles précipités du haut
du ciel et par la chatoyante harmonie des bleus
et des ors qui forment presque l'unique coloris :
page où se révèle le génie de l'artiste qui l'a
conçue. C'est un hors-texte dans le volume :
elle n'avait pas été prévue à l'origine et elle a
été exécutée en pleine page, suggérée probablement
par un tableau de l'école siennoise (récemment entré
au Musée du Louvre), dont les Limbourg se sont
inspirés pour le haut de la composition,
tout en traitant d'une manière entièrement
différente la chute des anges. Elle a été ensuite
placée au début des psaumes de la pénitence,
psaumes du repentir de David,
sans doute parce que la révolte des anges
a été la faute initiale, d'où ont découlé toutes les autres,
par le désir de revanche de Lucifer.
Dans l'empyrée trône Dieu, au visage de feu, tenant
en sa main le globe du monde;
des chérubins flamboyants sont à ses pieds.
A sa droite et à sa gauche, dans le ciel,
des rangées de stalles d'or, étagées
et disposées en hémicycle, comme dans un théâtre :
ce sont les sièges des puissances célestes. Bien des sièges
sont vides : sur une seule pensée du Tout-Puissant,
les anges rebelles en sont précipités.
L'invention géniale est dans leur chute :
cette double file où l'or des ailes et le bleu des robes
s'entremêlent et qui se termine
par un grand embrasement des anges
qui prennent feu en touchant la terre.
A leur tête, le beau Lucifer, couronné d'or,
s'écrase le premier, en flammes. On est tenté de lui
appliquer le verset d'Isaïe : " Comment es-tu tombé
du ciel, Lucifer, toi qui brillais dans le matin ? "
Au seuil du Paradis, entre les deux files des anges
précipités, la milice céleste, en cotte de mailles d'or et
casquée d'argent, se tient ferme
aux pieds du Tout-Puissant, prête à obéir à ses ordres
et surveillant cette exécution.

[F. 64v]

Le psaume qui est transcrit par le scribe sur cette page est un appel de David à la bonté du Seigneur, qui apparaît, en buste, parmi les nuages, dans la partie supérieure de la miniature. David a déposé sa couronne devant lui, a quitté la chaire qui lui servait de trône et s'est prosterné, les mains jointes, devant son Dieu qu'il appelle à son secours. " Seigneur, aie pitié de moi, car je suis faible. Guéris-moi, Seigneur, car mes os sont tremblants. Mon âme est terriblement troublée. " Ce psaume a vraisemblablement été conçu par David dans un moment où il se sentait abandonné de tous : " Car j'ai vieilli au milieu de mes ennemis ", chante-t-il.

Parmi les personnages qui figurent la foule du second plan, les uns le regardent avec méchanceté et les autres détournent leurs yeux. Ce sont les ennemis auxquels le psaume fait allusion, les hommes d'Israël qui l'ont abandonné pendant la révolte d'Absalon.

Si la miniature est de la main de Jean Colombe, la lettrine et le personnage barbu qu'elle contient, dont la chevelure est serrée par un ruban jaune noué sur le côté, datent de l'époque du duc de Berry.

[F. 65r]

bata est ualde: sed tu do
mine usquequo.
Onuertere domine
et eripe animam meam
saluum me fac propt
misericordiam tuam.
Quoniam non est
in morte qui memor
sit tui in inferno aute
quis confitebitur tibi.
Laboraui in gemi
tu meo lauabo per sin
gulas noctes lectum
meum lacrimis meis
stratum meum rigabo.
Turbatus est a furo
re oculus meus: inuet
auit inter omnes inimi
cos meos.
Discedite a me omnes
qui operamini iniqui
tatem quoniam exau

Omine ne
in furore tu
o arguas me
neq; in ira tua corripi
as me.
Miserere mei domine
quoniam infirmus
sum sana me domine
quonia conturbata st
omnia ossa mea
Et anima mea tur

diuit dominus uotem
fletus mei.
Exaudiuit domin'
deprecacionem meam
dominus oracionem
meam suscepit.
Erubescant et contur
bentur uehementer oms
inimici mei conuertan
tur et erubescant ualde
uelociter.
Gloria patri et filio
et spiritui sancto.
Sicut erat in princi
pio et nunc et semper
et in secula seculorum.
Amen

Beati quorum
remisse sunt in
quitates et quorum tec
ta sunt peccata.
Beatus uir cui non
imputauit dominus
peccatum nec est in spi
ritu eius dolus
Quoniam tacui inuete
rauerunt ossa mea
dum clamarem tota
die.

67. DAVID ET NATHAN

*Le psaume XXXIII qui est annoncé par cette
miniature est une ode au repentir et au pardon :
" Alors je t'ai avoué ma faute, je n'ai plus
dissimulé mon crime. J'ai dit : " Je confesserai
à Dieu mes fautes " et tu m'as remis
l'iniquité de mon péché. "
Jean Colombe a choisi d'illustrer ce psaume
par l'épisode du livre de Samuel où Nathan
reproche à David d'avoir fait mourir le Hittite
Urie pour s'emparer de sa femme Bethsabée.
David reconnaît son péché et Dieu lui accorde
le pardon, le punissant cependant par la mort
du fils que Bethsabée lui avait donné.
Sur la miniature David, accablé et contrit,
est assis sur une chaire à haut dossier et Nathan,
debout, lui adresse des reproches
au nom du Seigneur.*

[F. 65v]

de.
Gloria patri et filio.

Domine ne in fu
rore tuo arguas
me neqz in ira tua corri
pias me.
Quoniam sagitte
tue infixe sunt michi

et confirmasti super me
manum tuam
Non est sanitas in
carne mea a facie ire tue
non est pax ossibus me
is a facie peccatorum
meorum
Quoniam iniqui
tates mee supragresse sut
caput meum et onus
graue grauata sunt su
per me.
Putruerunt et cor
rupte sunt cicatrices me
e a facie insipientie mee.
Miser factus sum et
curuatus sum usqz in
finem tota die contri
status sum ingrediebar.
Quoniam lumbi
mei impleti sunt illu
sionibus et non est sa

68. PSAUME XXXVIII

Ce cantique, composé par David en vue
de la commémoration du sacrifice, est un appel
du pécheur à son Seigneur : " Ô Dieu,
ne me reprends pas avec colère, ne me châtie pas
avec fureur. Car déjà, tes flèches sont tombées
sur moi; sur moi ta main s'est appesantie. "
L'armée qu'a représentée l'enlumineur,
campée devant un large fleuve
qui la sépare d'une ville,
symbolise l'instrument de la colère divine :
" Ils sont pleins de force mes ennemis
et ceux qui me haïssent croissent en nombre. "
Lances dressées, les cavaliers de l'armée
sont disposés pour l'attaque.
Une église et plusieurs tours hautes et larges
dominant de petites maisons aux toits de tuiles
rouges, au bord de l'eau, représentent peut-être
l'image que le peintre du duc de Savoie
se faisait de Jérusalem.

[F. 66v]

gna locuti sunt. Quoniam ego in fla
gella paratus sum et do
lor meus in conspectu
meo semper. Quoniam iniqui
tatem meam annun
ciabo et cogitabo pro pec
cato meo. Inimici autem mei
viuunt et confirmati
sunt super me: et mul
tiplicati sunt qui oderut
me inique. Qui retribuunt ma
la pro bonis detrahebant
michi quoniam seque
bar bonitatem. Ne derelinquas me
domine deus meus ne
discesseris a me. Intende in adiuto

rium meum domine deus
salutis mee. Gloria pri.

Miserere mei deus
secundum ma
gnam miam tuam. Et secundum mul
titudinem miseracio
num tuarum dele in

69. DAVID CHARGE URIE
DE REMETTRE UNE LETTRE A JOAB

Le psaume LI est un psaume de pénitence,
composé par David quand Nathan le prophète
vint le trouver après l'adultère avec Bethsabée.
Jean Colombe a choisi, pour illustrer ce psaume,
l'accomplissement de la faute de David
envoyant l'époux de Bethsabée
porter à Joab la lettre qui décide de son sort,
comme le décrit le deuxième livre de Samuel :
" Placez Urie en avant, au plus fort
du combat, et retirez-vous de derrière lui afin
qu'il soit frappé et qu'il meure. "
Jean Colombe a peint Urie, à genoux tête nue
devant David qui lui remet la lettre fatale, dans
*un intérieur de maison du XV*e *siècle. Deux serviteurs*
se tiennent derrière David.

[F. 67v]

tuas et impii ad te con
uertantur:

Libera me de sangui
nibus deus deus salutis
mee: et exultabit lingu
ua mea iusticiam tuam.

Domine labia mea
aperies: et os meum a
nunciabit laudem tu
am.

Quoniam si uolu
isses sacrificium dedis
sem utiq; holocaustis
non delectaberis.

Sacrificium deo sps
contribulatus cor con
tritum et humiliatu
deus non despicies.

Benigne fac domi
ne in bona uolunta
te tua syon ut edificen
tur muri iherusalem.

Tunc acceptabis
sacrificium iusticie ob
laciones et holocausta
tunc imponent sup
altare tuum uitulos.

Gloria patri.

ne exaudi oratio
nem mea: et cla
mor meus ad te ueniat.

70. ATTAQUE D'UNE VILLE

Le psaume CII, *cinquième psaume de la pénitence,*
exprime les lamentations de l'affligé :
" Ô Dieu, écoute ma prière
et que mon cri parvienne jusqu'à toi. "
L'attaque d'une ville par une troupe
d'hommes d'armes qui en forcent les portes,
symbolise les insultes reçues par le peuple de Dieu
et par son chef : " Chaque jour mes ennemis
me chargent d'opprobres; furieux contre moi,
ils m'accablent d'imprécations. " On se bat même à
l'intérieur de Jérusalem et les ennemis sont devant
la porte du château fort construit au milieu
de la ville.
Comme celle de la page 118, cette enluminure
dépeint de façon précise l'armement et
les mouvements des troupes de la fin du XVe siècle.

[F. 68v]

71. DE PROFUNDIS

Le De Profundis, *sixième psaume de la
pénitence, montre David à genoux, mains jointes,
dans une posture de suppliant que partage le
personnage à bonnet rouge du second plan.
Le roi prie devant un autel placé dans une chapelle.
Sur la gauche de la miniature,
un homme barbu enlace une jeune femme blonde
qui contemple David en prière.
Comme la peinture, la lettre " D " qui se trouve
au-dessous d'elle et le lambrequin de la colonne centrale
appartiennent à l'art de Jean Colombe.
Le visage de la jeune femme blonde de la lettre
rappelle celui de la miniature.*

[F. 70r]

Inicio tu domine ter
ram fundasti: et opera
manuum tuarum sunt
celi.

Ipsi peribunt tu au
tem permanes: et omis
sicut uestimentum ue
terascent.

Et sicut opertorium
mutabis eos et muta
buntur tu autem idem
ipse es et anni tui non de
ficient.

Filij seruorum tuo
rum habitabunt et se
men eorum in seculum
dirigetur.

Gloria pri et filio. et
spiritui sancto.

De profundis
clamaui ad te
domine: domine exau
di uocem meam.

Fiant aures tue in
tendentes: in uocem de
precacionis mee.

Si iniquitates obser
uaueris domine: domi
ne quis sustinebit.

Quia apud te propi

ciacio est : et propter le
grm tuam sustmui te
domine.

Sustinuit anima
mea in uerbo eius spe
rauit anima mea in
domino.

A custodia matuti
na usq; ad noctem spe
ret israel in domino.

Quia apud dnm
misericordia et copio
sa apud eum redemp
cio.

Et ipe redimet isrl'
er omnibus iniquita
tibus eius.

Gloria patri et filio
et spiritui sancto.

Domine exau
di oracionem
meam : auribus perci
pe obsecracionem me
am in ueritate tua ex
audi me in tua iusti
cia.

Et non intres iuui
dicium cum seruo tuo
quia non iustificabr
in conspectu tuo omis

72. PSAUME CXLIII

David, toujours à genoux et priant, récite le septième psaume de la pénitence devant un autel couvert,
orné de curieuses statuettes.
Ses ennemis en armes rôdent autour de lui :
" Car l'ennemi en veut à ma vie; il me tient déjà terrassé."

[F. 70v]

(Page suivante)

73. 74. LA PROCESSION DE SAINT-GRÉGOIRE

Le sujet n'avait pas dû être prévu à l'origine du livre,
car on n'avait pas réservé de place pour une grande miniature.
Il restait seulement une colonne entre la fin des Psaumes de la pénitence
et le début des Litanies des saints. C'est cette colonne, ainsi que les marges des deux pages,
que les Limbourg ont utilisées ingénieusement
pour peindre cette large miniature à double page.
Elle est placée en tête des litanies parce qu'on appelait la procession de Saint-Grégoire
" la grande litanie", c'est-à-dire la grande supplication, suivant le sens du mot en grec.
Le sujet est emprunté à la Légende dorée. La peste sévissait à Rome quand Grégoire fut élu pape.
Il fit faire une grande procession autour de la ville, en suppliant le ciel de faire cesser cette épreuve.
Et tandis qu'il l'implorait, il vit paraître tout en haut de la citadelle un ange qui remettait au
fourreau un glaive ensanglanté. " Saint Grégoire comprit que la peste touchait à sa fin.
Et la citadelle (l'ancien mausolée d'Hadrien) fut désormais appelée le Château Saint-Ange."
C'est cet épisode de la vie de Grégoire le Grand durant la peste de 590 que les Limbourg
ont peint en cette double page. La procession se déroule devant les murs de la Ville :
bannières en tête les diacres, puis les prêtres, dont un tombe, encore terrassé par le mal;
ensuite le pape, coiffé de la tiare, qui d'un geste de ses deux bras implore le ciel, et derrière lui
les cardinaux, auprès de qui tombe un moine, frappé aussi du mal; enfin la foule du peuple,
qui arrive par la porte. Au-dessus des murs paraissent les monuments de Rome,
tels que les imaginaient les Limbourg, car il ne semble pas qu'ils l'aient connue en réalité.
Au lieu de la masse trapue du Château Saint-Ange, ils ont peint un monument élancé,
au sommet duquel ils ont figuré l'archange remettant l'épée au fourreau.
Cette large miniature n'a pas entièrement été terminée par les Limbourg. Le ciel,
les monuments, le dessin des personnages sont incontestablement d'eux. Mais Jean Colombe est
intervenu dans les visages et, en partie au moins, dans le coloris des vêtements.

[F. 71v - 72r]

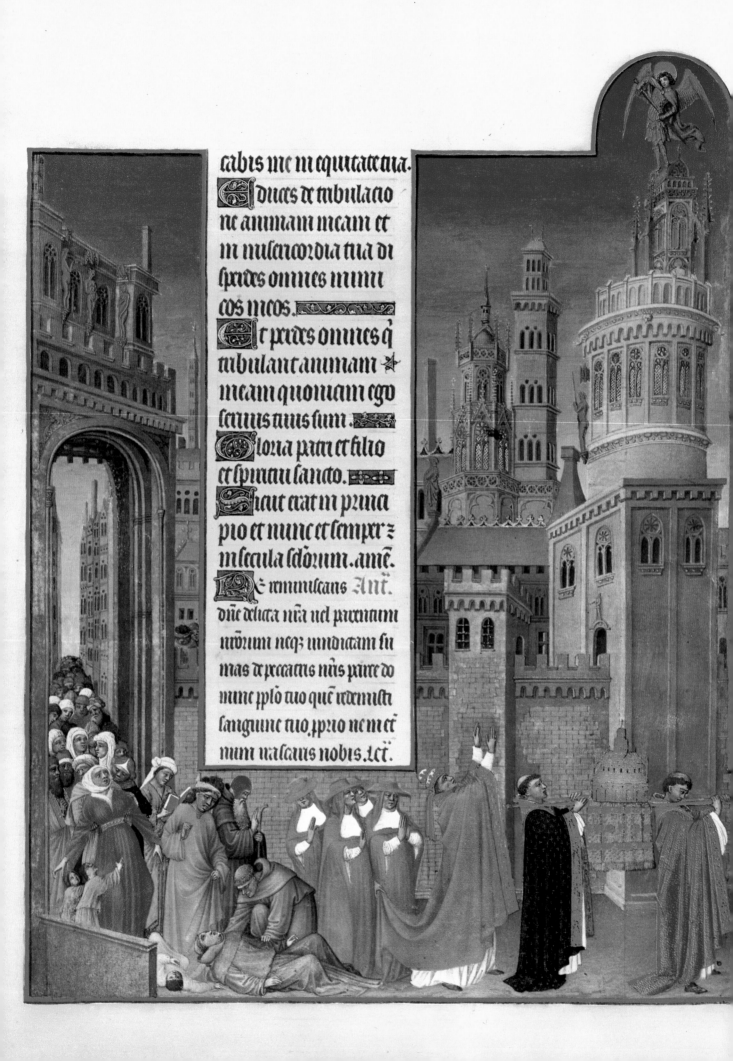

cabis me in equitate tua.
Et duces de tribulatio
ne animam meam et
in misericordia tua di
sperdes omnes inimi
cos meos.
Et perdes omnes q
tribulant animam
meam quoniam ego
servus tuus sum.
Gloria patri et filio
et spiritui sancto.
Sicut erat in princi
pio et nunc et semper z
in secula seculorum. amen.
Reminiscens Ant.
Ne delicta nostra vel parentum
nostrorum neque vindictam su
mas de peccatis nostris parce do
mine populo tuo quem redemisti
sanguine tuo. et propicio ne men
mini irascaris nobis. lct.

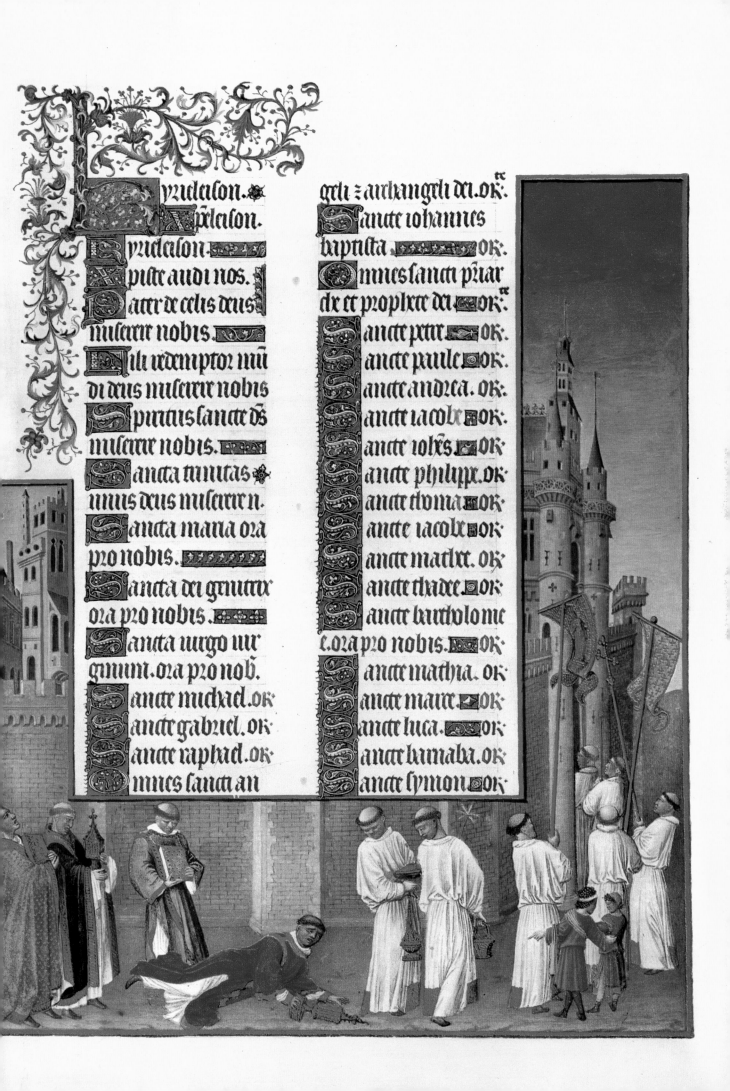

75. LE CHRIST DE PITIÉ

Sanglant, montrant ses plaies du côté et des poignets,
la couronne d'épines au front,
le Christ se dresse dans son sarcophage, devant sa croix.
Ce sujet iconographique semble apparaître d'abord
dans l'illustration des manuscrits, au XIVᵉ siècle,
le Christ étant soutenu par un ou plusieurs anges.
Ici il ne doit qu'à lui-même de se tenir debout.
A gauche, à genoux, le duc Charles Iᵉʳ de Savoie,
enveloppé d'un ample manteau à capeline d'hermine,
qui laisse apparaître un vêtement de couleur bleue.
Il porte un collier d'ordre, probablement
celui de l'Annonciade, et un bandeau orné de perles
et de pierres de couleurs.
De l'autre côté, la duchesse Blanche de Montferrat.
Dans le registre inférieur,
deux angelots aux ailes éployées
maintiennent les écussons de Savoie et de Montferrat.
Derrière le Christ et la croix se développe
un paysage très habilement traité. Un lac sur lequel
naviguent des barques à rameurs s'y contorsionne
entre des collines étagées sur des plans divers. A gauche,
se dresse un château à la fois puissant et élégant,
qui pourrait être celui de Ripaille, sur les bords
du lac Léman, à proximité de Thonon, où
les ducs de Savoie aimaient à séjourner.
Paul Durrieu a noté que c'est du château
de Ripaille qu'est daté le mandement par lequel,
le 31 août 1485, Charles Iᵉʳ de Savoie fait payer
vingt-cinq écus à Jean Colombe qui travaille
à l'achèvement des Très riches Heures.
Au fond du lac, on distingue une ville
qui pourrait être Genève.
Avant que Jean Colombe ne commence son travail,
un scribe avait tracé quatre doubles lignes
de texte sur deux colonnes. L'enlumineur
n'a pas su se contenter de l'espace qui avait suffi,
soixante-dix ans plus tôt, aux frères de Limbourg.
Son illustration a largement débordé
dans toutes les marges au point même que le
relieur a coupé la partie supérieure de l'encadrement
dans lequel se situent le duc et la duchesse de Savoie.
Les initiales ornées représentant un homme barbu
aux sourcils froncés et une jeune femme
aux yeux mi-clos
sortent également de l'atelier de Jean Colombe.

[F. 75r]

76. LA PENTECÔTE

Pour le début des Heures du Saint-Esprit,
Jean Colombe a représenté la Pentecôte suivant
une formule traditionnelle :
non seulement les douze apôtres y figurent,
mais encore la Vierge, et aussi d'autres disciples,
parmi lesquels deux femmes. Les Actes des apôtres
ne donnent pas de détails, à ce sujet :
" Ils étaient tous rassemblés dans le même lieu ",
sans spécifier qui.
Cette miniature n'est pas une des meilleures
de l'auteur : les hommes y ont le visage
ingrat, alourdi par la barbe; la Vierge même est sans
grâce. " Accablé de commandes, écrit Jean Porcher,
Colombe, qui s'en plaint avec humeur, est
capable du meilleur et du pire; souvent il confie
à des aides le soin de terminer l'ouvrage dont il a jeté
sur le parchemin, à grands traits,
une esquisse. " Il est probable que c'est le cas ici,
où nous sommes loin du Christ de pitié
ou de la Mise au tombeau.
Il semble qu'il se soit attaché davantage au décor
de la scène : à l'encadrement doré, toujours
un peu lourd, et à l'architecture intérieure de la salle
où elle se passe. Il se plaît aux détails de
cet art nouveau, inspiré de la première Renaissance
italienne. Ce frère de Michel Colombe imagine
des statues, des médaillons, des bas-reliefs, qui
font, plus que l'attitude ou l'expression des personnages,
l'intérêt de cette page.
Au bas de l'emplacement réservé à la
miniature avait été transcrit le début d'un verset du
psaume L. Jean Colombe, qui désirait utiliser toute
la page pour donner un caractère architectural à son
encadrement, a effacé ce texte, qu'il a retranscrit
ensuite en lettres capitales
au pied du cadre, sous les médaillons :
Domine, labia mea aperies et os meum...
" Ouvre mes lèvres, Seigneur,
et ma bouche publiera tes louanges ", verset qui
est appliqué ici à la Descente du Saint-Esprit.

[F. 79r]

77. JOB ET SES AMIS

*L'Office des morts, qui tient une place importante
dans le manuscrit, est illustré par cinq grandes
miniatures de Jean Colombe, près du quart
de sa production dans le volume, ce qui donne un
caractère particulier à sa collaboration. En tête
vient une représentation de Job raillé par ses amis.
L'Église a, en effet, placé dans les Matines des morts
plusieurs leçons tirées du Livre de Job, pour
symboliser les amertumes et les misères de l'existence,
la lassitude de la vie, l'angoisse devant
la mort et le jugement, mais aussi la confiance
dans le Dieu rédempteur.*

*Jean Colombe a peint Job sur son fumier,
devant sa maison détruite : son corps est couvert
d'ulcères, ses côtes paraissent sous sa peau.
Cependant ses amis, dont il implore la pitié, viennent
le railler, lui rappelant les paroles dont il
réconfortait jadis les faibles et les malheureux :
" Où est la patience que tu prêchais autrefois ?
Où ta belle constance ? " Mais lui proclame avec
humilité sa confiance en la miséricorde de Dieu :
" Mes chairs sont consumées, mes os collent
à ma peau... Mais je sais que mon
Rédempteur est vivant et que je ressusciterai de la terre
au dernier jour. "*

*Dans cette miniature, à laquelle Jean Colombe
a apporté un soin particulier, il a su rendre, presque
en l'exagérant, l'expression des personnages :
la souffrance de Job, les arguties railleuses de
ses amis. Il a placé la scène dans un agréable
cadre de paysage : à la maison délabrée de Job s'oppose
un magnifique château, peut-être quelque demeure
chère au duc et à la duchesse de Savoie,
pour qui il travaillait.*

*Jean Colombe a encadré sa miniature dans un
de ces décors architecturaux auxquels il se plaisait.
Mais celui-ci est moins lourd qu'ils ne le sont
généralement, et d'ailleurs fort curieux.
Il y a peint des fragments de colonnes de marbre rose
ou turquoise, des piliers constellés de joyaux et,
surtout d'étranges statuettes supposées d'argent
représentant des morts gesticulants.
Dans le soubassement de ce cadre il a figuré
deux étapes d'un enterrement : à droite, un convoi
funèbre escorté de ces pleurants qui étaient apparus
au début du XVe siècle, avec l'enterrement
de Philippe le Hardi, duc de Bourgogne; à gauche,
une mise en terre dans le caveau d'une église.*

[F. 82r]

PLACEBO DILEXI QUONIAM EXAUDIET DNS VOCE ORA

78. PSAUME CXXXVIII

Un clerc au long surplis
plie un genou devant un personnage debout
qui tient à la main son chapeau
et qui incline légèrement la tête pour recevoir
l'aspersion d'eau bénite. Ce personnage est
peut-être un membre de la maison du duc de Savoie.
Il est accompagné de deux suivants.
La scène se situe dans une vaste chapelle à bas-côtés
et à triforium. Le chœur est clos par un
jubé portant des scènes sculptées en relief.
Il ne semble pas qu'il y ait de relation
étroite entre la scène représentée par Jean Colombe
et le psaume dans lequel David entonne un
chant d'action de grâces : " Je chanterai tes louanges.
Je me prosternerai devant ton saint Temple
et je louerai ton nom. "

[F. 84r]

Sz iniquitates obserua
ueris domine domine quis
sustinebit. antiphona.
pera manuum

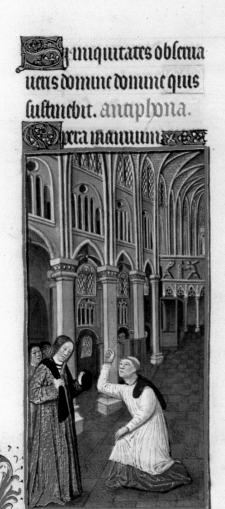

onfitebor tibi p̄.
domine in toto
corde meo: quoniam
audisti uerba oris mei.
n conspectu angelo

rum psallam tibi ad o
rabo ad templum san̄
tuum et confitebor no
mim tuo
uper misericordia
tua et ueritate tua: qm̄
magnificasti super oēs
nomen sanctum tuū.
n quacunq̄ die
inuocauero te exaudi
me multiplicabis in
anima mea uirtutem
onfiteantur tibi
domine omnes reges
quia audierunt omīa
uerba oris tui.
t cantent in uiis
domini: quoniam ma
gna est gloria domini
uoniam excelsus
dominus et humilia
respicit: et alta alonge

79. PSAUME CXLVI

David, à genoux devant l'autel d'un temple,
entonne le chant d'espérance des affligés :
" Loue le Seigneur, ô mon âme; je louerai le Seigneur
durant toute ma vie; je célébrerai mon Dieu tant
que je vivrai. Ne vous fiez pas aux puissants ni aux
fils des hommes en qui il n'est pas de salut. "
La scène est placée dans le chœur d'une église
dont on aperçoit le déambulatoire. Des fenêtres
hautes éclairent une voûte à croisée d'ogives peinte de
couleur bleue et supportée par de robustes piliers
accolés de colonnettes. Le transept s'ouvre
sur ce qui est peut-être une sacristie. L'autel est
recouvert par une nappe brodée d'or.

[F. 85r]

esurientes implevit bonis: et diuites di
misit manes.
Suscepit israel pue
rum suum: recordatus
est misericordie sue.
Sicut locutus est ad
ad patres nros abraham
et semini eius in secula.
Requiem eternam. a.
Tu lazarum resuscita
sti a monumento fetidum
tu eis domine dona requie
et locum indulgenac. Pater
nr. Et nenos ind. v. sus.
In memoria eterna
erunt iusti. Responsoz
Ab audicione mala
non timebunt versus.
A porta inferi. Rm.
Erue domine aias eoz
credo videre bona dm.

in terra viuencium.

Lauda anima
mea dominum
laudabo deum meum
in vita mea: psallam
deo meo quam diu fuero.
Nolite confidere in
principibus: nec in fi
lijs hominum in quibus

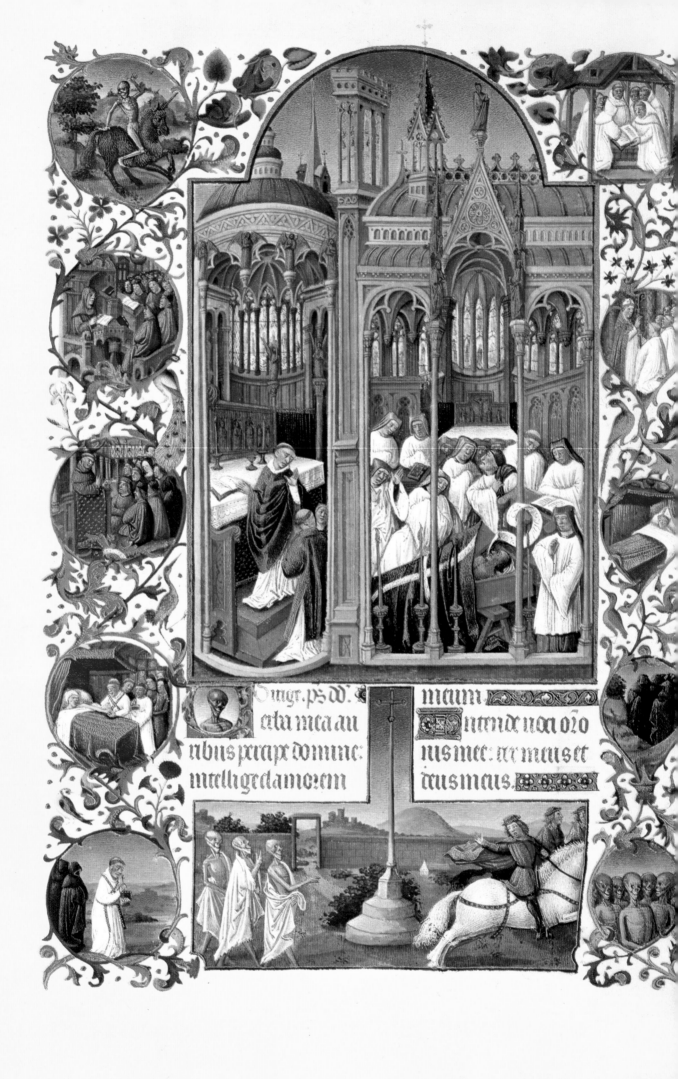

80. L'ENTERREMENT
DE RAYMOND DIOCRÈS

*Cette page, qui est une des illustrations de l'Office des
Morts exprime le sentiment de la Mort qui a dominé
l'art du Moyen Age : sa soudaineté, sa détresse,
son dénuement et le jugement terrible qui attend
celui qui meurt. La miniature principale représente
un épisode tragique qui aurait déterminé la vocation
de saint Bruno à se retirer dans la solitude. Suivant
une tradition des Chartreux, Raymond Diocrès,
chanoine de Notre-Dame de Paris,
avait été célèbre pour son extérieur de piété
et son talent de prédicateur;
à son enterrement, les assistants épouvantés virent
le mort se soulever dans son cercueil et dire :
" J'ai été appelé au juste jugement de Dieu, j'ai été
jugé au juste jugement de Dieu, j'ai été condamné
au juste jugement de Dieu. "
Cette miniature a été exécutée par Jean Colombe.
Mais il est probable qu'elle avait été conçue par
les Limbourg, qui avaient déjà traité le sujet dans les
Belles Heures : la forme du cadre, l'architecture
de la partie supérieure,
certaines parties des rinceaux
(les oiseaux notamment) se rattachent à leur style.
Jean Colombe aurait ainsi travaillé sur une première
esquisse du fond encore visible dans certaines parties;
et il aurait ajouté à la page la petite miniature du
bas et les divers petits sujets des marges latérales.
La petite miniature a pour sujet
le " dit des trois morts et des trois vifs ",
légende édifiante qui avait cours au XIIIe siècle,
où elle a fourni la matière de
plusieurs récits, mais qui a inspiré les artistes
surtout au XVe siècle. Trois jeunes cavaliers de
haute naissance aperçoivent dans un cimetière trois
morts qui se mettent à leur parler. " J'ai été pape ",
dit l'un. " J'ai été cardinal ", dit l'autre.
" J'ai été notaire apostolique ", dit le troisième.
Et ils ajoutent : " Vous serez comme nous sommes :
puissance, honneur, richesse ne sont rien. " Les trois
cavaliers, effrayés, pressent leur monture; mais
apercevant une croix, ils comprennent que c'est un
avertissement du Ciel.
Les petits sujets traités dans les marges se rapportent
pour la plupart à la vie de Raymond Diocrès et
de saint Bruno. On remarquera en haut, à gauche,
l'étrange image de la Mort chevauchant une licorne.
Ces divers sujets sont reliés par des rinceaux et
des lambrequins assez semblables
à ceux que les Limbourg se plaisaient à peindre
dans les marges du livre d'heures.*

[F. 86v]

81. PSAUME VII

*L'animal qui se présente à David
pendant qu'il prie le Seigneur est un lion,
auquel fait allusion un verset
de ce psaume : " Mon Dieu, c'est en toi que j'ai
cherché refuge. Sauve-moi des mains de tous mes
persécuteurs et délivre-moi, de crainte qu'on ne me
dévore comme le lion qui déchire sans qu'on puisse
lui ravir sa proie. "
La prière du psalmiste se déroule dans le cadre
serein de collines couvertes de boqueteaux que
dominent des maisons seigneuriales. Une barque
avec des rameurs anime la rivière qui serpente
entre ces éminences.*

[F. 88r]

Turbatus est a furore
oculus meus inveteravi
inter omnes inimicos
meos. Discedite a me omnes
qui operamini iniqui
tatem exaudivit dns
vocem fletus mei Exaudivit dominus
deprecacionem meam
dominus oronem me
am suscepit Erubescant et con
turbentur vehementer
omnes inimici mei et
vertantur et erubescat
valde velociter. Requiem eternam
dona eis domine. Et lux perpetua luce
at eis. antiphona.
Convertere domine et eri

re animam meam qm non
est in morte qui memor sit
tui. anT. sequando. pS.

Domine deus
meus in te spe
ravi: saluum me fac
er omnibus persequen
tibus me et libera me.

DOMHIVSREGIT/ETHCHEMCKIDEERITHLOCO

82. LE CAVALIER DE LA MORT

*Cette miniature de Jean Colombe, placée en tête
du deuxième nocturne des Morts, représente
l'apparition du quatrième cavalier de l'Apocalypse,
du cavalier de la Mort : " Je vis paraître
un cheval blême; et celui qui le chevauchait
avait nom la Mort, et l'Enfer le suivait;
et le pouvoir lui fut donné sur les quatre parties
de la terre de tuer les hommes par le glaive,
par la famine, par la maladie et
par les bêtes de la terre. "
Le cavalier apparaît ici dans un cimetière,
le glaive en main, vêtu de rouge, campé
sur son cheval harnaché de rouge et sautant
par-dessus les tombes. Un cortège de morts
l'accompagne, encore vêtus de leurs linceuls
et armés de lances, de haches, de faux, de bâtons.
Leur vue sème l'effroi dans une troupe de soldats
qui passent et qui alors implorent pitié.
L'effet serait saisissant n'était la monotonie
de tous ces crânes uniformes, bien alignés
à la même hauteur et qui coupent en diagonale la
miniature, séparant les soldats effrayés
et le cavalier de la Mort.
Comme une opposition à cette scène d'effroi,
Jean Colombe lui a donné pour fond un paysage
riant, un village tranquille, où quelques soldats,
quittant la colonne, paraissent se réfugier.
Il semble avoir voulu illustrer le psaume XXII,
qui commence ce second nocturne et dont il a
inscrit les premiers mots au bas du cadre
de la miniature :* Dominus regit me,
*" Le Seigneur me dirige : rien ne me manquera ".
David y exprime la tranquillité de l'âme
qui met sa confiance en Dieu :
" Même si je m'avançais vers l'ombre
de la mort, je ne craindrais pas de mal,
car tu es avec moi. "
Dans ce paysage plaisant on aperçoit tout à fait
à gauche la façade d'une église, puis un pigeonnier,
diverses maisons, et sur la droite, les tours d'entrée
d'un château, avec un pont-levis sur les douves
pleines d'eau. Par-derrière se dressent de grands arbres,
des montagnes bleuâtres, et l'on imagine
de ce côté les verts pâturages dont parle le psalmiste.*

[F. 90v]

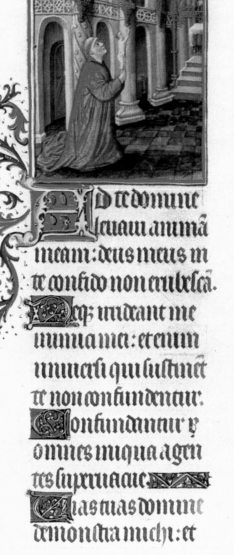

semittas tuas edoce me
Dirige me in veri
tate tua et doce me: qui
a tu es deus saluator
meus et te sustinui to
ta die.
Reminiscere mise
rationum tuarum
domine: et misericor
diarum tuarum qa a
seculo sunt.
Delicta iuuentutis
mee et ignorancias
meas ne memineris.
Secundum miam
tuam memento mei
tu: propter bonitate
tuam domine.
Dulcis et rectus do
minus: propter hoc
legem dabit delinque
tibus in uia.

Ad te domine
leuaui animam
meam: deus meus in
te confido non erubesca.
Neq. irrideant me
inimici mei: etenim
uniuersi qui sustinet
te non confundentur.
Confundantur y
omnes iniqua agen
tes supuacate.
Uias tuas domine
demonstra michi: et

83. PSAUME XXV

" *Ô Dieu, j'ai élevé mon âme vers toi. Je mets*
en toi ma confiance et je ne serai pas confondu. "
Le personnage tonsuré, en longue soutane rouge
et or, qui est à genoux, illustre le premier verset
de ce psaume en élevant dans ses mains
une petite figure nue qui représente son âme.
Cette façon de désigner l'âme
était courante au Moyen Age.
L'église où ce psaume est entonné est ornée
de curieuses statues dorées posées sur des socles.
Près de l'autel un ange, également recouvert d'or,
est dressé sur une colonnette de même reflet.

[F. 91v]

meam et erue me: non
erubescam quoniam
speraui in te.
Innocentes et recti
adheserunt michi: q
a sustinui te.
Libera deus israel
ex omnibz tribulaci
onibus suis.
Requiem eternam
dona eis domine.
Et lux perpetua lu
ceat eis. antiphona.
Delicta iuuentutis
mee et ignorancias me
as ne memineris domi
ne. antiphona.
Erdo uidere

Dominus illu
minacio me
a: et salus mea que
timebo.
Dominus vite mee:
aquo trepidabo.
Dum appropriant
super me nocentes ut
edant carnes meas.
Qui tribulant me
inimici mei: ipsi infir

84. PSAUME XXVII

*L'imagination de Jean Colombe s'est trouvée en défaut
à l'occasion de l'illustration de ce psaume. Il s'est
contenté de nous présenter, une fois de plus, David
en prière, ainsi que l'y incitaient d'ailleurs des versets
de ce chant poétique célébrant la confiance intrépide
du fidèle en son Seigneur : " J'ai fait à Dieu une
prière, une prière que je répète sans cesse; c'est
d'habiter dans la maison du Seigneur tous les jours
de ma vie... Écoute, ô Dieu; de ma voix
je t'appelle. Prends-moi en pitié et exauce-moi."
Le cadre donné à cette prière est de ceux où
Jean Colombe est passé maître :
de l'eau, avec des barques,
des lointains bleus de plus en plus pâles et les tours
rondes d'une ville ou d'une place forte.*

[F. 92v]

85. LA VICTOIRE DE DAVID

*Dans cette miniature, placée en tête du troisième
nocturne des Morts, Jean Colombe a voulu illustrer
le psaume XXIX, qui commence ce nocturne :
Exaltabo te, Domine... " Je t'exalterai, Seigneur,
parce que tu m'as soutenu et que tu n'as pas réjoui
mes ennemis à mon détriment. " David l'avait
composé comme une hymne d'action de grâces après
sa victoire sur les Jébuséens et la prise de leur citadelle,
dont il devait faire Jérusalem. Dans l'Office des
Morts, l'Église l'a pris au sens symbolique, appliquant
aux défunts les versets 2 et 3 : " Seigneur, mon
Dieu, j'ai crié vers toi et tu m'as sauvé :
tu as retiré mon âme de l'enfer. "
C'est une des belles miniatures de Jean Colombe,
où l'artiste a su traiter le difficile sujet d'une mêlée
de combattants. Il n'a pas abusé, sauf peut-être
un peu vers le fond de la bataille, du procédé facile
qu'il emploie trop souvent et qui consiste à aligner
au même niveau une multitude de têtes semblables.
Il a peint les divers mouvements de cavaliers qui
s'affrontent, les chevaux abattus, les hommes
renversés, foulés aux pieds, transpercés de la lance;
et vers le fond et la gauche, la percée qui s'amorce
des cavaliers dorés
à travers la masse des noirs ennemis.
Il semble que dans cette opposition de tons, or et noir,
des combattants, Jean Colombe ait voulu exprimer le
symbole que l'Église voit dans le psaume XXIX.
Le gris-noir dont sont peints les ennemis est, en
effet, le ton que les miniaturistes, Jean Colombe
comme les Limbourg, emploient en général pour
représenter le diable, lequel, dans le langage religieux
de l'époque, est par définition l'Ennemi.
A ce combat, réel ou symbolique, Jean Colombe
a donné comme fond un de ses plus beaux paysages,
aux plans variés, s'éloignant dans un décor lacustre.
Il a pu s'inspirer là, comme ailleurs, de quelque lac
sinueux de Savoie, tel que le lac du Bourget.
Signalons une méprise amusante. Pour disposer
de la page pleine, le miniaturiste a effacé les
quelques lignes qui se trouvaient au bas, les
remplaçant par une banderole sur le socle. Mais
au lieu de transcrire Exaltabo te, " je t'exalterai ",
il a mis : exultabo, " je me réjouirai ".*

[F. 95r]

86. PSAUME XL

" J'ai attendu le secours du Seigneur;
il s'est incliné vers moi et il a entendu mes prières.
Il m'a retiré du lac de misère et du bourbier fangeux. "
Dans un paysage nocturne, presque
infernal, David remercie le Seigneur de lui avoir
épargné ces supplices. Les flammes qui sortent
des rochers et les fumées qui s'en élèvent ne paraissent
pas avoir été mentionnées par le psalmiste,
mais le " lac de misère " et le " bourbier fangeux "
d'où sortent les têtes des malheureux qui y sont
plongés et qui occupent la partie droite de la
miniature, sont aussi une préfiguration des souffrances
de l'enfer réservées aux pécheurs non repentis.
Les tons de cette miniature sont différents
de ceux des autres miniatures de Jean Colombe.
L'artiste a cru devoir également varier ceux de
la lettrine et des rinceaux qui se propagent dans la
colonne centrale. Un grand oiseau au bec courbe
s'y dresse.

[F. 96r]

sti sanctum meum et
circumdedisti me letia
a

Et cantet tibi glo
ria mea: et non com
pungar domine deus
meus meternum con
fitebor.

Requiem eterna
dona eis domine

Et lux perpetua lu
ceat eis. antiphona

Domine abstraxisti
ab inferis animam mea.
antiphona

Complaceat

Expectans ex
pectaui domi
num: et intendit mi
Et exaudiuit preces
meas et eduxit me de
lacu miserie et de luto
fecis.
Et statuit supra
petram pedes meos:
et direxit gressus meos.
Et immisit in os

diutor meus et
protector meus tu es:
deus meus ne tardaueris.
Requiem eternam
dona eis domine.
Et lux perpetua lu
ceat eis. a. Complaceat
tibi ut eruas me domine ad
adiuuandum me respice.
Situit.

Quemadmodu
desiderat ceruus
ad fontes aquarum:
ita desiderat anima me
a ad te deus meus.
Situit anima me
a ad deum fontem uiu
um quando ueniam et
apparabo ante faciem
dei. Fuerunt michi la
crime mee panes die ac
nocte: dum dicitur mi
chi cotidie ubi est deus
tuus. Hec recordatus sum
et effudi in me animam
meam: quoniam tra
sibo in locum taberna
culi ad mirabilis usq
ad domum dei. In uoce exultacioni

87. PSAUME XLII

*Bien que ce psaume soit un cantique des
" fils " de Coré, l'enlumineur y a montré David,
un genou ployé, le visage tourné vers le ciel,
devant un cerf à la forte ramure qui se désaltère
dans un ruisseau. Cette miniature contraste
avec la précédente, l'espace y étant presque
entièrement occupé par un paysage riant
et verdoyant de fleurs et d'herbes, au bord
d'une eau courante. L'animal sort d'une forêt
dont on aperçoit les premiers arbres.
Le cerf qui boit est ici le symbole de l'âme
qui désire la présence de Dieu :
" Comme le cerf aspire après les eaux courantes,
ainsi mon âme aspire après toi, Seigneur.
Mon âme a soif du Dieu vivant. "
Jean Colombe a revêtu David du manteau rose
et de la ceinture jaune que lui font porter
les Limbourg dans plusieurs miniatures du début
du manuscrit. Il porte la même couronne d'or,
la même barbe et la même chevelure argentée.*

[F. 97v]

88. LE REPENTIR DE DAVID

Cette miniature illustre les laudes de l'Office
des Morts, qui commencent par le psaume L :
Miserere mei, Deus, " Aie pitié de moi,
mon Dieu ". C'est le psaume de repentir de David :
après avoir séduit Bethsabée, femme d'Urie,
et avoir envoyé son mari à la mort, il l'avait épousée;
mais Nathan lui ayant reproché sa faute et annoncé
le châtiment, le roi se repentit : il implora humblement
la miséricorde de Dieu et fit une longue pénitence.
C'est ce repentir que Jean Colombe a représenté.
L'ange du Seigneur paraît dans le ciel,
tenant en sa main le glaive de la vengeance.
David le voit, s'agenouille, les bras étendus dans
un geste de prière et de supplication : " Lave-moi,
Seigneur, de mes souillures et purifie-moi de ma faute,
car je reconnais mes iniquités et j'ai toujours devant
moi mon péché. " Le geste est peut-être un peu
théâtral; et David n'est plus le grand vieillard à
barbe blanche que les Limbourg représentaient :
il a le type habituel des hommes
peints par Jean Colombe, aux paupières lourdes,
à la mâchoire forte, au front court, qui leur donnent
un air dur et souvent hébété.
Pour sa pénitence, David est allé jeûner au milieu
des rochers, loin de la ville, qu'on aperçoit au-delà
de l'eau, sur un fond de montagne. C'est encore
un beau paysage, où le miniaturiste a pu s'inspirer
d'un site de Savoie.
Sous cette grande miniature, Jean Colombe a peint
une scène de bataille, où des cavaliers et des hommes
de pied chargent un ennemi qui est écrasé.
Il a voulu vraisemblablement représenter le combat
que Joab, le chef des troupes de David, livrait
victorieusement, durant sa pénitence, aux Ammonites,
ses voisins au-delà du Jourdain.
Cette petite miniature divisée en trois compartiments
forme prédelle dans un grand encadrement
qui rappelle celui de Job par ses statuettes
et ses colonnes de couleur. Mais celui-ci est moins
macabre : au lieu de morts gesticulants, les statuettes
représentent des guerriers armés de lances et
de boucliers. Et comme les quelques lignes de texte
du bas de la page ont été ici conservées, Jean Colombe
les a fait tenir, comme une sorte de grande banderole,
par deux angelots agenouillés.

[F. 100v]

as tuas et impij ad te
conuertantur
Libera me de sangui
nibus deus deus salu
tis mee: et exultabit
lingua mea iusticiam
tuam
Domine labia mea
aperies et os meum an
nunciabit laudem tu
am
Quoniam noluis
ses sacrificium dedisse
utiq; holocaustis non
delectaberis
Sacrificium deo spi
ritus contribulatus cor
contritum et humilia
tum deus non despicies.
Benigne fac domine
in bona voluntate tu
a syon ut edificentur

muri iherusalem.
Tunc acceptabis sa
crificium iusticie obla
ciones et holocausta tunc
imponent super altare
tuum vitulos.
Requiem eternam.
Et lux perpetua luc.
Requiem eternam. aña.
dona eis domine et lux perpe
tua luceat eis. a. Exaudi dne.

Te decet hympnus

89. PSAUME LXV

Couvert d'un grand manteau d'or
à chape d'hermine,
David chante un cantique d'action de grâces :
" Ô Dieu, c'est à toi qu'est due la louange dans Sion;
c'est devant toi que chacun doit acquitter ses vœux. "
L'intérieur de l'édifice religieux, bien différent de ceux
dans lesquels David a dû prier, est décrit par
Jean Colombe avec une extrême fidélité,
que ce soit l'autel et le bénitier
ou les vitraux et la menuiserie de la tribune.

[F. 101v]

dona eis domine. Et lux perpetua luce at eis. antiphona. Et suscepit dextera tua domine. Ã. A porta inferi.

Ego dixi in di midio dierum meorum: uadam ad portas inferi.

Quesiui residuum annorum meorum dixi non uidebo dominum deum in terra uiuentium. Non aspiciam hominem ultra: et habitatorem quietis. Generatio mea ablata est et conuoluta est a me quasi tabernaculum pastorum. Precisa est uelut est a texente uita mea: dum adhuc ordirer succidit me. de mane usque ad uesperam finies me. Sperabam usque ad mane quasi leo sic contriuit omnia ossa mea.

90. CANTIQUE D'ÉZÉCHIAS

*Le roi de Juda, Ézéchias, fils d'Achaz, avait
été guéri d'une grave maladie grâce à l'intervention
du prophète Isaïe. Il célébra sa guérison dans
un cantique : " Je disais alors : Je m'en vais aux
portes de l'enfer, à peine arrivé à la moitié
de mes jours. " Ce sont ces " portes de l'enfer "
que l'enlumineur a représentées. Ézéchias, nu,
le visage hagard et épouvanté, aperçoit l'abîme où
il a manqué tomber et remercie le Seigneur
de lui avoir épargné ce supplice :
" Dieu est mon sauveur. Mes chants,
nous les chanterons tous les jours de notre vie,
près de la maison du Seigneur. "*

[F. 103v]

*Cette miniature extraordinaire, où nous retrouvons
les Limbourg, est un hors-texte ajouté à l'Office
des Morts, où il n'était pas prévu à l'origine :
œuvre très personnelle, où l'artiste principal s'est
laissé aller à son inspiration, à sa fantaisie
créatrice. Elle apparaît, par sa composition et par
son coloris, comme une contrepartie
à la Chute des Anges : là, c'était le ciel,
le séjour de Dieu; ici, c'est l'enfer, royaume de Satan;
là dominaient le bleu et l'or étincelant, ici le
gris-noir et le rouge flamboyant; là les anges
déchus étaient précipités par Dieu du haut du ciel,
ici les damnés sont projetés de bas en haut
par le souffle brûlant de Léviathan.
Une différence capitale distingue toutefois les deux
sujets. Alors que la Chute des Anges a été rarement
traitée par les artistes, la représentation de l'Enfer
s'est, on le sait, multipliée par toute la France, aux
portails des églises, dans la scène du Jugement dernier.
Le Léviathan, qui figure au centre de la miniature,
fait partie de ces images classiques. Il vient du
Livre de Job : " De sa bouche jaillissent des flammes,
comme des torches ardentes; la fumée sort de
ses narines, ainsi que d'une chaudière bouillante. "
Il est là, étendu sur une sorte de gril, étreignant de
ses deux mains des couples enchevêtrés, piétinant
d'autres humains que rongent des serpents. A droite
et à gauche, trois grands soufflets actionnés par des
démons avivent la flamme où sous lui brûle une
foule de damnés. Par-devant, d'autres démons
torturent des réprouvés. Beaucoup de clercs parmi
ceux-ci : c'est de tradition; peu de femmes,
semble-t-il, ce qui est plus rare. Dans le fond,
des montagnes coniques servent de chaudières " où
damnés sont boullus ", comme dira Villon
cinquante ans plus tard. Entre ces montagnes, on
aperçoit un ciel blafard, obscurci par la fumée qui
sort des narines du Léviathan; et dans ce ciel monte
une colonne de feu et de vapeurs qui emporte en
désordre les corps projetés par le souffle ardent du
monstre. Le reste de la scène n'a rien d'absolument
nouveau, tant l'imagination des sculpteurs et des
peintres s'y est exercée depuis le XIIIe siècle;
l'originalité et la beauté sinistre de cette miniature
sont dans ce jaillissement de feu, entraînant tous
ces corps en des poses imprévues et diverses, dans cette
atmosphère de forge, à la fois rougeoyante et noire.*

[F. 108r]

92. LE BAPTÊME DU CHRIST

*Après l'Office des Morts vient, dans ce livre d'heures,
une série de petits offices pour tous les jours de la
semaine, chaque jour étant consacré
à un culte particulier :
le dimanche à la Trinité, le lundi aux Morts,
le mardi au Saint-Esprit, le mercredi à tous les Saints,
le jeudi au Saint Sacrement,
le vendredi à la Croix et le samedi à la Vierge.
Toute cette partie était encore sans miniature
à la mort des trois frères de Limbourg
et du duc de Berry; elle a été entièrement enluminée
par Jean Colombe.
Pour l'office du dimanche consacré à la Trinité, celui-ci
a peint le baptême du Christ. Il a voulu représenter
ce que rapportent les évangiles synoptiques :
quand Jésus sortit de l'eau, les cieux s'ouvrirent;
l'Esprit-Saint descendit sur lui sous la forme
d'une colombe; et une voix se fit entendre dans le ciel :
" Celui-ci est mon fils bien-aimé,
en qui je me suis complu. "
Jean Colombe a peint cette scène avec autant de
simplicité recueillie qu'il en est capable. Il y a bien
encore un peu de maniérisme dans l'attitude penchée
du Christ et le geste du bras droit; mais le peintre
a voulu sans doute exprimer les sentiments dans
lesquels il accueille les paroles qui viennent du ciel.
Ses pieds seuls trempent dans l'eau du Jourdain;
et Jean-Baptiste lui verse d'une coquille
l'eau baptismale sur le front. A sa droite, deux anges
portent sur leurs bras ses vêtements : ils viennent
des mosaïques byzantines et figurent déjà dans les
psautiers du XIIIe siècle. Le ciel s'est entrouvert
pour laisser apparaître Dieu dans un cercle de lumière
et de feu; et une colombe descendant
vers le Christ l'unit à son Père
et complète ainsi l'image de la Trinité.
Au second plan, une foule, que la prédication de Jean
a attirée dans le désert, assiste à cet événement,
qui la frappe d'étonnement et d'admiration.
Dans le fond, on voit une ville
et un de ces agréables paysages
que Jean Colombe sait renouveler
et qui donnent un charme particulier à ses compositions.*

[F. 109v]

*Les sept pages qui suivent sont placées dans le
manuscrit immédiatement après la grande miniature
représentant le baptême du Christ.
Au verso de cette miniature, qui devait rester vierge
puisque le préparateur de la maquette y avait écrit
un* nichil hic *qui se lit encore parfaitement,
une rubrique indique qu'il s'agit, pour le dimanche,
d'un petit office de la Trinité.
A la dernière page
est mentionné l'office du lundi, pour les défunts.
Si la calligraphie a été faite par un même scribe
et si les décorations de majuscules et de bouts de
lignes ont été exécutées par un seul artiste, on ne
saurait en dire autant des lettrines dont s'échappent
des rinceaux dans les marges. Le style des quatre
premières pages des décorations appartient en effet à
l'époque où travaillait Jean Colombe, celui des trois
dernières relevant de l'époque des Limbourg.
On reconnaît l'écu du duc de Berry au folio 113
et ses emblèmes animaux, le cygne blessé
et l'ours, folio 112 v.*

[Fs 110r à 113r]

omme labia mea aperies. Etos meum annū qabit laudem tuam. eus in adiuto rium meum intende. omine ad adiu uandum me festina. loria patri et filio et spiritu sancto. Sicut erat in prin apio et nunc et semp et in secula seculorum. amen. alleluya alla. T tua mq; vni. uult animā firmiter saluare. irs personas arde re ip̄as honorare. enetur et iugiter

precabus orarie. nium deum dicē colum adorare. Uerus enim laudant te ado rant te glorificant omnes creature o beata trinitas. omine exaudi orone meam. Et clamor meus ad te ueniat. remus. Orao. mnipotens sempiterne dns te suppliciter depreca mur ut sanctam tri nitatem in hoc mun do ita nos facias firmi ter fideliter q; credere ue raciter et simpliter cō fiteri ut in aliquo pos simus eam perfecte co gnoscere et letanter fa

ac ad faciem intueri.
Qui uiuis et regnas
in unitate spiritus san-
cti deus per omnia secula
seculorum. Amen. ◦
Benedicamus do
mino.
Deo gracias. Ad.j.
Deus in adiuto-
rium meum
intende.
Domine ad adiu
uandum me festina.
Gloria patri et filio
et spiritui sancto
Sicut erat in prin-
cipio et nunc et semper
et in secula seculorum.
Amen. ymnus
Trinitatem ardui
summum gni
torem.

Sanctum eius filiu
nostrum redemptore.
Spiritum paracli
tum gracie datorem.
Unum tamen di
camus deum creatore.
Te iure laudant te ysus
adorant te glorificant om
nes creature o beata trinitas.
Domine exaudi oratione
meam.
Et clamor meus ad te
ueniat.
Oremus. Oracio.
Omnipotens sem
piterne deus te
suppliciter deprecamur
ut sanctam trinitate
in hoc mundo ita nos
facias firmiter fideli ter
que credere ueraciter et su
pliciter confiteri ut in

aliquo possumus eam
perfecte cognoscere et le
tanter facie ad faciem
intueri. Qui vivis et re
gnas cum deo patre in u
nitate spiritus sancti
deus per omnia secula
seculorum. Amen.
Benedicamus domino
Deo gracias. Ad iij.
Deus in adiu
torium meum
intende.
Domine ad adiu
vandum me festina
Gloria patri et filio et
spiritui sancto
Sicut erat in prin
cipio et nunc et semper
et in secula seculorum
Amen. ymnus
Ase patrem arduum

cum huic generavit.
Lumen de lumine
lumen resultavit.
Procedentem spiritu
uterque spiravit.
Nullus horum genuit
ipsum vel creavit. Versus.
Te iure laudant et ado
rant te glorificant omnes
creature o beata trinitas.
Domine exaudi orationem
meam.
Et clamor meus ad te
veniat.
Oremus. Oracio.
Omnipotens se
piterne deus te
suppliciter deprecamur
ut sanctam trinitatem
in hoc mundo ita nos
facias firmiter fideliter
que ardenter veraciter et si

pliciter confiteri ut in
aliquo possimus eam
perfecte cognoscere et leta
ter facie ad faciem intu
eri. Qui viuis et regnas
deus per omnia secula
seculorum. Amen. Ad vj.
Deus in adiuto
rium meum
intende.
Domine ad adiuuan
dum me festina.
Gloria patri et filio
et spiritui sancto.
Sicut erat in princi
pio et nunc et semper et
in secula seculorum. A.
Or ad primam v.
pertinet super
baptizatum
Quia sonauit filius
humane vocatum.

natur susceptio co
lumbe volatum.
Credimus et specie
paraclito ditium. v.
Te nunc laudant te ado
rant te glorificant omnes
creature. o beata trinitas.
Domine exaudi oratione
meam.
Et clamor meus ad te
ueniat.
Oremus. Oratio.
Omnipotens se
piterne deus te
supliciter deprecamur
ut sanctam trinitate
in hoc mundo ita nos
facias firmiter fidelitqz
ardere ueraciter et sim
pliciter confiteri ut in
aliquo possimus eam
perfecte cognoscere et leta

ter facie ad faciem inti
en. Qui uiuis et regnis
deus per omnia secula
seculorum. Amen. Deus ad nona
ad iutorium
meum intende.
Domine ad adiu
uandum me festina
Gloria patri et filio et
spiritui sancto.
Sicut erat in prin
cipio et nunc et semp
et in secula seculorum.
Amen. ymnus.
Rex patris potencia
facta deuotatur
ordio pruden
cia omnis declaratur.
Gloria paraclito u
niuersa datur.
Qui cum patre na

to que cum glorificatur.
Te uir laudant te b.
adorant te glorificant omnis
creatura obeata trinitas.
Domine exaudi orationem
meam.
Et clamor meus ad te
ueniat. Oremus. Oracio.
Omnipotens
sempiterne
deus te suppliciter dep
camur ut sanctam
trinitatem in hoc mu
do ita nos facias firmi
ter fideliter que ardere ue
raciter et simpliciter
confiteri ut in aliquo
possimus eam perfecte
cognoscere et letanter fa
ac ad faciem uideri.
Qui uiuis et regnas
deus per omnia secula

seculorum. Amen.

Deus Ad vespas.

In adiutorium meum intende.

Domine ad adiu nandum me festina

Gloria patri et filio et spiritu sancto.

Sicut erat in prin cipio et nunc et semp et in secula seculorum. Amen. ymnus.

Voluntate filii patris incarnat'

Est de spiritu sancto de virgine natus.

Crucifixus mortu' atqz tumulatus.

Resurgens discipu lis celis sublimatus.

Te iure laudant. &. te adorant te glorificant

omnes creature. o beata tri nitas.

Domine exaudi orone meam.

Et clamor meus ad te veniat. Oremus. Oro.

Omnipotens sempiterne deus te supplicter de precamur ut sanctam trinitatem in hoc mun do ita nos facias fir miter fideliterq; arde veraciter et simplicit confiteri ut ab aliquo possimus eam pfecte cognoscere et letanter facie ad faciem intu eri. Qui vivis et reg num deo patre in uni tate spiritus sancti ds per omnia secula secu

lorum. Amen. Ad 2plē.
Conuerte nos
deus salutaris
noster.
Et auerte iram tuā
a nobis.
Deus in adiuto
rium meum
intende.
Domine ad adiuuā
dium me festina.
Gloria patri et filio
et spiritui sancto.
Sicut erat in prin
cipio et nunc et semp
et in secula seculorū. y.
Et per ipsm
terminus onīs
iudicati.
Beati ad gloriam
eternam uocati.
Ad penas perpetuas

mali condempnati.
Hec omnia tenentur
ardendo leati. Recome
As horas dicto.
sic ircolo ut in
trinitate.
Tenertur unitas et
in unitate
Honoretur pietas
atq; pietate.
Iaaat me ardeir lux
cum firmitate. y sus.
Tenuir laudant te adorāt
te glorificant omnes aratur
oleata trinitas.
Domine exaudi orone.
Et clamor meus ad te
ueniat. Oremus. oro.
mnipotens se
piterne deus te
et c. ut supra. Die lune
pro defunctis.

100. LE PURGATOIRE

L'Office des Morts, auquel est consacré le lundi,
est représenté par une miniature de Jean Colombe
figurant le purgatoire. La croyance du Moyen Age
en un lieu d'expiation temporaire pour les morts
qui n'ont pas satisfait entièrement à la justice de Dieu,
a inspiré une des plus hautes œuvres poétiques,
la Divine Comédie; mais très peu d'artistes avant
le XVIe siècle ont tenté de la traduire.
Cette miniature en est un des rares exemples.
Jean Colombe a représenté les morts entraînés
par un fleuve de feu dans les flammes du purgatoire.
Mais ce ne sont pas des damnés; ce sont des pécheurs
repentants : de leurs mains jointes, ils implorent
la miséricorde divine. Parfois un ange vient appeler
l'un d'eux et l'enlever au ciel : sa pénitence
est terminée; et comme l'artiste a voulu le montrer,
les prières des vivants sont intervenues en sa faveur.
A gauche du fleuve de feu, un autre fleuve, glacé
sans doute, entraîne d'autres morts, qui tournent
leur regard vers le ciel; parmi eux, l'on distingue
des clercs et même un évêque. Au-delà s'élève une
montagne escarpée où gisent les uns et qu'essaient
de gravir les autres. Il semble qu'ici Jean Colombe
se soit inspiré, directement ou non, de la conception
de Dante : celui-ci décrit le purgatoire comme un mont
aux rochers abrupts, où les âmes des défunts
effacent par l'horreur de leur péché et leur élan
vers le Souverain Bien, les dernières traces de
leur faute. Ce sont elles, sans doute, qu'au-dessus
de la montagne, tout en haut de la miniature,
les anges emportent dans leurs bras
vers la demeure céleste.
Ici, comme pour le mois de novembre,
Jean Colombe souffre du voisinage des frères
de Limbourg. Quand on vient de voir l'Enfer,
avec ses effets extraordinaires d'éclairage
et de mouvement, on est tenté de trouver assez
grossière l'image que soixante-dix ans plus tard
Colombe donne du purgatoire : son coloris cru,
sa composition désordonnée, ses figures lourdes.
Mais dans un recueil à part, exécuté peut-être
avec moins de hâte, on en admirerait la conception
originale, le fleuve ardent
qui entraîne les âmes repentantes
et l'envol des anges qui les enlèvent vers le ciel.

[F. 113v]

101. LA DISPERSION DES APÔTRES

Pour le mardi, qui est consacré au Saint-Esprit,
Jean Colombe, qui a déjà représenté la Pentecôte
dans ce livre d'heures, a peint ici la dispersion
des apôtres, qui s'en vont, remplis de l'Esprit-Saint
répandre l'Évangile dans le monde. D'autres
artistes ont traité ce sujet : ils ont figuré
les apôtres, déjà chaussés pour le voyage,
se séparant par groupes de trois pour s'en aller
dans des directions différentes. Ce qui est nouveau
ici, ce sont les adieux qu'ils vont faire à Marie,
qui, suivant les Actes, était restée avec eux dans
un même esprit de prière. Il paraît bien qu'il faut
voir là une influence du théâtre religieux. On lit
en effet dans la Conversion saint Pol *:*
" Mais alons ainçois (auparavant), je vous prie,
Savoir de la Vierge Marie
S'elle nous voudra rien commander. "
En prenant congé d'elle, les apôtres veulent s'en
remettre à ses conseils.
Voici donc que s'avancent vers Marie,
saint Pierre à la barbe bouclée et saint Matthieu.
Le premier a la figure
lourde de beaucoup de personnages de Jean
Colombe; une longue barbe blanche, un visage
plus mince adoucissant l'expression du second.
La Vierge, touchée de leur démarche, les accueille
d'un geste de ses deux mains; derrière elle,
recueillies, se tiennent les Saintes Femmes, dont
parlent aussi les Actes.
Les autres apôtres sont plus loin, déjà en route.
Ils ne sont pas par groupes de trois, comme dans
les représentations antérieures, mais par deux :
si bien qu'on ne voit en tout que huit apôtres
et non douze. On reconnaît saint Jean à ce qu'il
est imberbe; les autres n'offrent aucun caractère
particulier. Ces trois groupes partent dans des
directions différentes, que leur indique la
bifurcation des chemins. Ils s'en vont, suivant
la tradition, les uns vers l'Asie Mineure
et la Galatie, comme saint Jean et saint Philippe;
les autres vers la Mésopotamie et l'Égypte, comme
saint Jude et saint Simon; les autres vers la Grèce
ou la lointaine Espagne, comme saint André et
saint Jacques le Majeur. Des châteaux, des lacs,
des montagnes s'espacent sur leur route. Mais d'une
manière miraculeuse, ils se trouveront tous de nouveau
rassemblés, suivant la Légende dorée, *pour assister*
à la mort de la Vierge.

[F. 122v]

102. LE PARADIS

Pour l'office du mercredi, consacré à tous les saints,
Jean Colombe a représenté le paradis.
Ce n'est pas une de ses meilleures miniatures :
on a l'impression que, comme précédemment pour la
Pentecôte, il en a laissé le soin à des aides après
en avoir esquissé l'ensemble. La scène est disposée
comme dans un théâtre et répartie sur trois étages.
En haut, dans une sorte de balcon, on voit la
Vierge couronnée, assise à la droite du Christ, sous
un dais formé d'un beau tapis drapé. Leur pose est
celle que les sculpteurs du XIIIe siècle leur ont
donnée au portail de nombreuses cathédrales : le Christ
bénit Marie, qui s'incline devant lui. De part et
d'autre du dais sont agenouillés une foule de saints :
on reconnaît à gauche saint Michel, à droite saint
Jean-Baptiste, vêtu de poil de chameau, saint Pierre
et saint Paul; le reste se perd dans une multitude
de têtes, dont on ne voit bientôt plus que les auréoles
qui s'échelonnent jusqu'au fond de la miniature.
Sous ce balcon, se pressent, agenouillés aussi, un
grand nombre d'autres saints. Ils sont tournés vers le
Christ et la Vierge, si bien qu'on ne les voit que
de côté ou de dos. A droite, on distingue un
bienheureux portant les armes de la maison de
Savoie, probablement saint Maurice, patron du
Valais, en l'honneur de qui le duc Amédée VIII avait
créé un ordre de chevalerie : Jean Colombe n'a
pas manqué de le faire figurer dans ce livre destiné
au duc et à la duchesse de Savoie. L'artiste, dans
cette partie de la miniature a eu l'idée de donner
tant d'éclat à l'auréole des saints vus de dos qu'elle
cache leur tête; idée originale peut-être, mais
malencontreuse : toutes ces auréoles disposées
mécaniquement donnent l'impression de pièces
d'or étalées régulièrement les unes sur les autres.
A l'étage du bas, les chœurs des anges chantent
la gloire de Dieu au son de divers instruments :
violes, flûtes, luth, orgue portatif, épinette.

[F. 126r]

103. LE SAINT SACREMENT

*L'office du jeudi est consacré au Saint Sacrement,
c'est-à-dire à l'institution de l'Eucharistie, dont la
fête, promulguée par le pape Urbain IV en 1264,
avait été fixée au jeudi après le dimanche de
la Trinité. Jean Colombe a illustré cet office
par deux scènes superposées. La principale représente
une église gothique à gros piliers ouvragés et
à tribunes, où deux groupes de personnages rendent
témoignage et hommage à l'Eucharistie : à droite,
trois hommes coiffés à l'orientale représentent
l'Ancien Testament, vraisemblablement Melchisedech
(qui offrit le pain et le vin à Abraham), Moïse
(à cause de la manne) et Élie (qui fut nourri
par un ange); à gauche, des hommes tête nue,
qui semblent être au nombre de quatre, figurent
le Nouveau Testament : sans doute, les quatre
évangélistes. Tous lèvent la tête, dans un geste
d'adoration et semblent proclamer la grandeur
de ce sacrement et répéter les paroles que saint Thomas
d'Aquin a placées dans l'hymne du* Pange lingua,
composé pour la fête du Saint-Sacrement :
Tantum ergo sacramentum veneremur cernui,
*" Prosternons-nous avec vénération devant un si grand
sacrement. " Au fond de l'église, dans le chœur,
derrière un jubé finement ajouré, deux prêtres
semblent s'associer à cet hommage.
La scène peinte au bas de la miniature figure une
de ces nombreuses anecdotes édifiantes qui avaient
cours à la fin du Moyen Age et qui tendaient
à prouver la présence de Jésus-Christ dans
l'Eucharistie : c'est l'histoire de la mule
de saint Antoine de Padoue. Un mécréant disputait
avec le saint au sujet de la présence réelle. Il promit
d'y croire s'il voyait une mule s'incliner devant
une hostie consacrée. Saint Antoine se mit en prière;
puis il présenta à la mule, d'une main, une hostie,
de l'autre un peu d'avoine. A l'émerveillement des
assistants, on vit la bête, refusant l'avoine,
s'incliner devant l'hostie. Le mécréant, convaincu
par l'expérience, crut désormais à la présence réelle.*

[F. 129v]

104. L'INVENTION DE LA CROIX

Pour l'office du vendredi, consacré à la Croix,
Jean Colombe a représenté l'Invention de la Croix,
telle que la raconte la Légende dorée. *Cette découverte*
est généralement attribuée à sainte Hélène, mère de
l'empereur Constantin, et aurait eu lieu à la suite
de déblaiements faits sur le Calvaire. Trois croix
furent mises au jour, rapporte la Légende dorée.
On ne savait quelle était celle de Jésus-Christ
et quelles celles des larrons. Une femme étant alors
mourante, l'évêque de Jérusalem fit apporter près
d'elle la première croix, puis la seconde sans obtenir
de résultat; mais à la troisième, elle se leva aussitôt,
complètement guérie.
Sur la miniature, on voit la femme, couchée
sur la croix, se redresser. En face d'elle,
sainte Hélène, agenouillée, s'en émerveille,
ainsi que tous les assistants, parmi lesquels, à droite,
un personnage coiffé d'un bonnet pointu, qui est
probablement le Juif, qui détenait le secret de
l'emplacement des croix.
La miniature est plaisante, agréable de tons et
offrant, comme d'habitude, un beau paysage de lacs
et de montagnes, inspiré à Jean Colombe par
la Savoie. Un cadre architectural l'entoure, assez
semblable à ceux que l'artiste a peints pour ses autres
miniatures. On y remarquera, au bas, des angelots,
qui portent une banderole où sont inscrits les
premiers mots de l'office de l'Invention de la Croix;
comme ceux que Jean Colombe a peints dans la
miniature du Christ de pitié, ils rappellent les angelots
de Jean Fouquet dans les Heures d'Étienne Chevalier.

[F. 133v]

105. LA PRÉSENTATION
DE LA VIERGE AU TEMPLE

L'office du samedi est consacré à la Vierge.
Jean Colombe l'a fait précéder d'une
miniature figurant la Présentation de la Vierge
au Temple. Ce sujet vient des évangiles apocryphes,
particulièrement de l'Évangile de la Nativité
de la Vierge, qui s'étend sur la vie de Marie
dans le Temple, où ses parents
l'avaient présentée toute enfant.
Jean Colombe a donc peint la petite Marie
montant les degrés du Temple, où l'ont
conduite sainte Anne et saint Joachim. Des prêtres
et des lévites, tonsurés et en surplis comme des gens
d'église, l'attendent à la porte.
Elle est toute menue devant ce grand édifice.
Pour représenter le Temple, l'artiste ne s'est pas
mis en frais d'imagination : il a peint la cathédrale
de Bourges, qu'il connaissait bien, étant né
dans la capitale du Berry. Il l'a toutefois
réduite, ne conservant que la partie correspondant
aux trois portails centraux et supprimant les
deux parties latérales surmontées des tours.
On retrouve sur sa miniature les dispositions générales
de l'église : en haut, au centre, le grand pignon appelé
" l'houstau ", refait cent ans plus tôt par le duc
de Berry, avec son grand vitrail et sa rose; les
quatre contreforts, dont l'ornementation a été depuis
modifiée; et les trois portails, avec leurs statues
et leurs voussures. Tout l'essentiel de la cathédrale
est ainsi reproduit.
Jean Colombe ne s'est d'ailleurs pas cru tenu
à une exactitude rigoureuse; et il a apporté
quelque fantaisie à ce travail de copie : les
arcs brisés sont devenus des arcs en plein cintre, le
nombre des statues des portails a été réduit.
Le résultat n'est guère plaisant : cette masse
rougeâtre, dépourvue de ses parties latérales
et de ses tours, écrase la scène qu'elle prétend
encadrer.

[F. 137r]

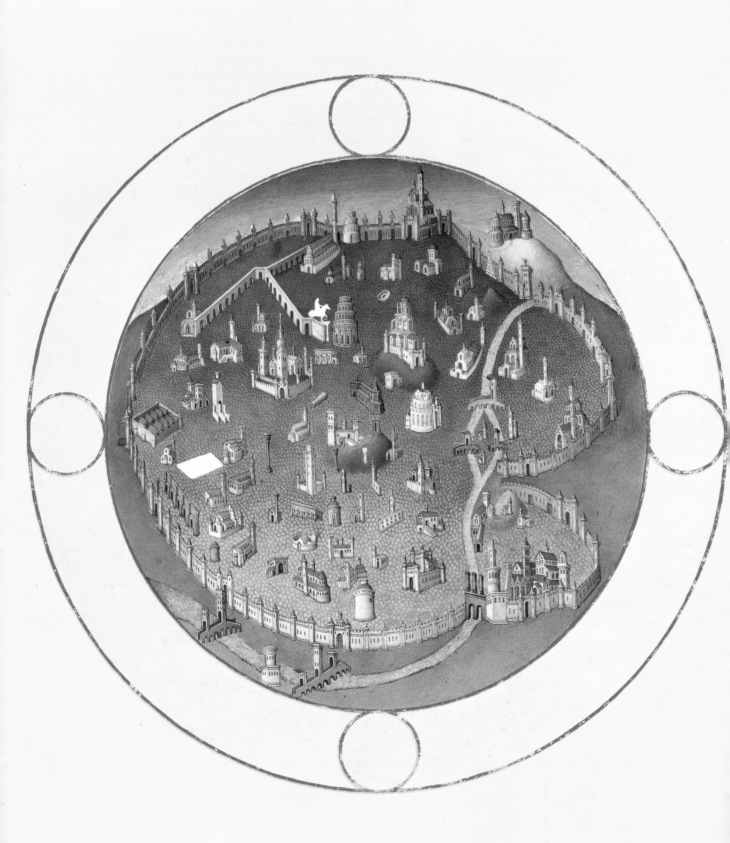

106. LE PLAN DE ROME

Ce plan de Rome, dont la présence étonne dans un livre d'heures, est un hors-texte,
peint par les Limbourg et ajouté après coup au manuscrit.
Autant que sa présence, sa place s'explique difficilement : après les petits offices de la semaine
et avant les Heures de la Passion. Il se peut qu'il ait été d'abord prévu en tête
d'un office de saint Pierre et de saint Paul, lequel a disparu dans le remaniement de 1485.
On est naturellement tenté de voir dans cette miniature insolite une copie
de la fresque de Taddeo di Bartolo au palais de la Seigneurie à Sienne,
avec laquelle elle a des rapports étroits.
Cependant il paraît douteux que les peintres du duc de Berry s'en soient inspirés.
La fresque de Sienne a été peinte en 1413-1414, exactement à l'époque
où les Limbourg travaillaient aux Très riches Heures : il faudrait donc que l'un d'eux
ait copié le plan de Taddeo di Bartolo à peine terminé et qu'il ait rapporté
et inséré aussitôt sa copie dans le livre d'heures. De plus, la miniature
présente certains défauts — incompréhensions, erreurs d'interprétation —
qui n'auraient sans doute pas existé si son auteur avait vu la fresque, assez explicite :
l'emplacement des statues colossales du Monte Cavallo et la statue de Marc-Aurèle
ont été laissés en blanc; le Colisée a été figuré comme une tour. Il faut donc supposer
que les Limbourg se sont inspirés d'un document beaucoup plus petit,
de quelque plan se trouvant dans un manuscrit, peut-être sur une mappemonde
dont le duc de Berry, nous le savons par ses inventaires, était possesseur.
Il est aisé de retrouver dans ce plan figuré les principaux monuments de Rome.
En haut à droite, en dehors de la muraille, se voit Saint-Paul-hors-les-Murs, qui,
situé au sud de la ville, nous donne l'orientation du plan.
A sa gauche, à l'intérieur de Rome, la basilique de Saint-Jean-de-Latran,
avec son campanile; puis en rose, l'amphithéâtre Castrense,
et en bleu Sainte-Croix-de-Jérusalem. La branche de droite des aqueducs nous conduit ensuite
à la statue équestre de Marc-Aurèle (transportée depuis au Capitole)
et au Colisée, représenté comme une tour à étages.
A droite du Colisée, le Palatin est figuré comme un édifice gothique à arcs-boutants.
En dessous, on voit l'arc de Titus et Sainte-Françoise-Romaine.
Plus à gauche, l'important ensemble de Sainte-Marie-Majeure;
et en dessous de Sainte-Françoise-Romaine, la colline du Capitole et son campanile.
Sur la gauche du Capitole, on distingue la colonne Trajane,
au-dessous de laquelle se trouve la colonne Antonine,
et à droite de celle-ci un petit édifice rond qui est le Panthéon. Tout en bas,
en dehors des murs, les miniaturistes ont figuré de gauche à droite, le Pont Milvius,
puis le Château Saint-Ange et son pont; et sur la droite, au-delà du Tibre,
un grand ensemble qui comprend Saint-Pierre et le Vatican,
au-dessus duquel on voit l'île Tibérine et le Trastevere.

[F. 141v]

107. L'ARRESTATION DE JÉSUS

Après les petits offices de la semaine, se trouvent
dans le manuscrit les Heures de la Passion,
illustrées par des miniatures des Limbourg. En tête,
pour les matines et les laudes figurent en regard
deux scènes : l'arrestation du Christ et son arrivée
au prétoire. La première est une des plus
extraordinaires qu'aient imaginées les trois frères,
le plus beau nocturne qu'ait peint un miniaturiste,
saisissant dans l'effet de nuit comme dans la
simplicité émouvante de la composition : un ciel
" bleu nuit " piqué d'étoiles, avec trois étoiles
filantes comme des signes mystérieux; un sol gris
brunâtre qui est celui du Mont des Oliviers;
sur ce sol, plus sombres, les corps des soldats
renversés, où torches et lanternes apportent quelques
reflets; et au milieu, plus sombre encore, le Christ,
dont, au-dessus de sa tête,
l'auréole rayonne sur le ciel constellé.
La scène est empruntée à l'évangile de saint Jean,
qui seul la mentionne, au moment où arrivent
les gens venus pour arrêter le Christ :
" Jésus, sachant tout ce qui devait lui arriver,
s'avança et leur dit : " Qui cherchez-vous? "
Ils lui répondirent : " Jésus de Nazareth. "
Jésus leur dit : " C'est moi. " Or il y avait
parmi eux Judas qui le trahissait. Quand donc
il leur dit : " C'est moi ", ils furent renversés et
tombèrent à terre. "
Les voilà donc tous par terre avec les lanternes,
les torches, les armes qu'ils tenaient.
Il semble qu'ils ont été renversés plus encore
que par sa parole, par la douceur de son visage,
par la majesté divine qui rayonne de lui. Une étrange
poésie émane de cette scène nocturne, où brille
l'auréole de Jésus. Nous touchons ici, semble-t-il, à
quelque chose de plus que l'élégance, le charme,
l'éclat qu'on voit dans les autres miniatures, à
un profond sentiment religieux, qui, sous des formes
différentes, s'est déjà exprimé dans le Paradis terrestre
et dans la Chute des anges, et qui fait
la grandeur de cette scène. A côté de Jésus, seul debout,
saint Pierre, en s'inclinant devant sa majesté,
s'apprête à tirer son épée pour le défendre.

[F. 142r]

108. L'ARRIVÉE AU PRÉTOIRE

*En regard de l'arrestation de Jésus se trouve
placée l'arrivée au prétoire, qui contraste avec
elle par l'éclat de son coloris : après la scène nocturne
du Mont des Oliviers, la traversée de Jérusalem aux
premières heures du matin. Cette miniature
est la première d'une suite de quatre, semblables
par leurs couleurs vives et lumineuses, le pittoresque
des personnages et l'expression du Christ; jointes
à la Descente de Croix, elles forment un ensemble
homogène dans la diversité des Très riches Heures.
Sur cette première miniature, une escorte bigarrée
conduit le Christ au prétoire, devant le gouverneur
romain : des soldats casqués et en cotte de mailles
s'y mêlent à des Juifs à barbe noire, coiffés de turbans
ou de bonnets pointus. Une bannière et des
lances hérissent ce cortège; et un centurion le précède,
qui frappe de sa masse d'armes à la porte du
prétoire. Nous retrouverons tous ces personnages
dans les miniatures suivantes.
Au centre de la composition, Jésus s'avance,
les mains liées, tenu par un soldat et un serviteur
du Grand Prêtre. Il est là comme un criminel; mais
grave et résigné, il domine toute la scène et se
détache, par son auréole, du reste de la foule.
Le cortège descend une rue bordée de maisons
pittoresques aux fenêtres géminées ou en arc
brisé, aux pignons en escaliers, qui rappelleraient
plutôt une ville du Nord, comme Bruges, qu'une
cité méditerranéenne. Au-dessus de ces maisons,
aux teintes diverses, un ciel pur et lumineux exalte
les bleus des vêtements et du sol, fait chanter tout le
coloris, briller l'argent des casques et des armures
et l'or des costumes d'apparat. Cette vision lumineuse
et colorée, comme toute cette suite admirable de
miniatures, qui sont vraisemblablement des toutes
dernières œuvres des Limbourg, semble bien dénoter
une nette influence italienne.*

[F. 143r]

109. LA FLAGELLATION

La scène de la flagellation est placée dans le manuscrit à l'heure de prime. Jésus a été dépouillé
de ses vêtements, qui gisent à terre, et attaché à une colonne à l'entrée du prétoire,
où plusieurs hommes le frappent de verges. Les évangiles ne disent qu'un mot de la flagellation;
mais les mystiques ont longuement médité sur ce supplice et l'imagination populaire y a ajouté des
détails que nous retrouvons ici : le Christ a été si violemment frappé que les verges se sont brisées;
nous en voyons des débris sur le sol.
Pilate trône au fond du prétoire; des Juifs l'entourent pour l'influencer. Dans un coin, à droite,
on voit un homme jeune et imberbe qui écrit sur un parchemin : c'est évidemment saint Jean
qui note les détails de la Passion qu'il rapportera dans son évangile. Et à gauche, en ce personnage
à barbe et cheveux gris, qui regarde à travers la porte, il faut sans doute reconnaître saint Pierre.

[F. 144r]

(Pages suivantes)

110. LA SORTIE DU PRÉTOIRE

La sortie du prétoire et la marche au Calvaire occupent deux pages vis-à-vis : la première scène
à gauche sur un verso, la seconde à droite sur le feuillet suivant; elles sont placées entre
les heures de sexte et de none. Toutes deux ont été peintes par les Limbourg,
toujours dans ce beau coloris vif et lumineux qui caractérise toute cette série de miniatures. On y
retrouve d'ailleurs des détails pittoresques — la bannière, les enfants — qui rappellent
l'Adoration des mages ou la Purification. Pilate a livré le Christ aux Juifs pour qu'il soit crucifié.
Des soldats l'entraînent, tandis que, derrière lui, sort du prétoire un homme nu et enchaîné,
que l'on retrouve dans le portement de croix : c'est un larron, qui sera crucifié avec lui.

[F. 146v]

111. LA MARCHE AU CALVAIRE

Cette miniature est si étroitement unie aux trois précédentes que non seulement on y retrouve
le même coloris, les mêmes personnages; mais encore la marche du cortège descendant en diagonale
de la gauche vers la droite est exactement la même que dans la première, l'arrivée au
prétoire. Cette série s'achève ainsi dans le même mouvement qu'elle a commencé. Mais ici
les circonstances sont plus tragiques : le Christ ne va plus, résigné, vers le jugement mais
vers la mort. Il est chargé de sa lourde croix : et il se retourne avec un regard de tendresse
vers sa mère, qui, soutenue par saint Jean, le suit dans cette voie douloureuse, malgré les menaces
d'un soldat. Cette scène rappelle un petit tableau de Simone Martini, qui se trouve aujourd'hui
au Louvre. Mais les Limbourg ont su lui donner un accent personnel :
dans ce regard tendre et attristé, ils ont exprimé tout le pathétique de la scène.

[F. 147r]

eus in ad
iutorium
meum in
tende.

Domine ad adiu
uandum me festina.
Gloria patri et fili
o et spiritui sancto.
Sicut erat in prin
cipio et nunc et semp
et in secula seculorum.
amen. ymnus.
Hora qui ducti
teria iuisti
ad supplicia ipse furti
do humeris auctem
pro nobis miseris.
Fac nos sic te dili
gerir sanctamq; uita
ducere ut mereamur
requie celestis patrie.
laus honor ipo

uendito et sine causa
prodito passo morte
pro populo in aspero
patibulo. amen. an.
Data sunt.

eus laudem
meam ne ta
cueris quia os peccato
ris et os dolosi super

112. LA PENDAISON DE JUDAS

Après avoir trahi Jésus, Judas Iscariote, selon l'évangéliste Matthieu, fut pris de remords.
Il rapporta aux prêtres les trente pièces d'argent, prix de sa trahison, et alla se pendre.
La miniature qui illustre cette scène annexe de la Passion, est due à Jean Colombe, alors que les magnifiques lettrines et rinceaux des marges ont été réalisés à l'époque du duc de Berry.
Étranglé par la corde qu'il a serrée autour de son cou, Judas agonise en grimaçant. Sous lui gît son manteau. Sur la colline, à gauche, les premières constructions de Jérusalem. Plusieurs des versets du psaume CIX qui est transcrit à la suite de cette miniature, psaume violent et imprécatoire, peuvent être appliqués à Judas : " Ils me rendent le mal pour le bien et répondent à mon amour par la haine. " Ou " La malédiction, elle l'enveloppe comme son vêtement; elle pénètre au-dedans de lui comme l'eau qui le submerge. "

[F. 147v]

113. PSAUME XXII

*Ce chant de David a sa place marquée dans
les Heures de la Passion, car il exprime les souffrances
et la mort du Christ, le Juste par excellence.
Les paroles par lesquelles le psaume s'ouvre :
" Mon Dieu, mon Dieu, pourquoi m'as-tu abandonné ? "
sont les dernières qui aient été proférées
par Jésus sur la Croix.
Quant aux versets : " Ils ont
percé mes mains et mes pieds; ils ont compté tous
mes os " et " Ils se partagent mes vêtements; ils tirent
au sort ma tunique ", ils prophétisent
la Crucifixion du Christ.
Pendant que David prie devant une chapelle,
des jeunes gens en robe blanche tendent leurs têtes
au bourreau qui les frappe, paraphrasant le verset
suivant : " Arrache ma vie au glaive, mon unique vie
à la morsure des chiens. " L'homme armé qui manie
le glaive est coiffé d'un bonnet oriental à triple
rouleau, que l'on retrouve sur l'illustration de
l'Invention de la Croix.*

[F. 150r]

Eus in ad
iutorium
meum in
tende.

Domine ad adiu
nandum me festina.

Gloria patri et filio
et spiritui sancto.

Sicut erat in prin
cipio et nunc et semp
et in secula seculorum.
Amen. ymnus.

Er crucem pro
nobis subyt
et stans in illa sia ie
uirsus sacratis manib
clauis fossis et pedibz.

Honor et benedicti
o sit crucifixo filio qui
suo nos supplicio rede
mit ab exilio.

Laus honor xpo ue

dicto et sine causa pro
dito passo mortem p
populo maspero pati
bulo. Amen. antña.
Omnes uidentes.

Omine deus
meus respice
in me quare me dereli
quisti: longe a salute

114. LA CRUCIFIXION

Encore deux miniatures en regard et qui s'opposent
par leur tonalité : la Crucifixion et les Ténèbres :
elles prennent place, comme il convient, avant l'heure
de none. La première a été peinte par Jean Colombe.
On pourrait penser, étant donné le cadre, qu'elle a
été esquissée par les Limbourg. S'il en fut ainsi,
on doit reconnaître que Colombe n'a guère suivi
ce premier tracé. Il suffit, en effet, de comparer
cette scène avec les deux suivantes, peintes par les
Limbourg, pour voir que la position des croix et des
crucifiés est différente : à gauche, notamment,
le larron n'a pas cette pose extraordinaire, vu de dos,
que les Limbourg lui ont donnée. De l'esquisse,
il ne resterait donc que la hauteur des croix, qui n'était
pas une disposition particulière à ces miniaturistes,
mais était générale au XVe siècle, sous l'influence
du théâtre religieux, suivant Émile Mâle.
On doit regretter que les Limbourg
n'aient pu exécuter cette miniature,
qui constitue le sommet des Heures
de la Passion; nous aurions eu ainsi une suite
ininterrompue, un ensemble parfait d'œuvres capitales.
La peinture de Jean Colombe, qui n'est ni une des
meilleures, ni une des moins bonnes qu'il ait faites
dans ce livre, a pour principal défaut de rompre cette
suite, d'y faire un disparate, autant par son coloris
roux et bleu que par sa composition assez banale.
Les trois croix dominent la foule des Juifs et des
soldats, dont les bannières et les lances se dressent
autour d'elles. Le Christ est expirant; l'un des larrons,
à gauche, se tourne vers lui, tandis que l'autre cherche
à s'en détourner. La foule se presse autour d'eux,
regardant vers Jésus; les personnages du premier
plan sont à cheval. Au bas, à gauche, la Vierge
s'évanouit, soutenue par saint Jean et les
saintes femmes : groupe médiocre, qui n'est pas aussi
émouvant que celui qu'on distingue dans les Ténèbres.
A droite, sous le cheval, on voit un crâne et des
ossements : suivant une ancienne tradition, ce sont
ceux d'Adam, qui auraient été déterrés en creusant
le sol pour y fixer la croix.

[F. 152v]

En regard de la Crucifixion peinte par Jean Colombe
et en contraste avec elle, voici les Ténèbres,
œuvre des frères de Limbourg. Ces Ténèbres,
traitées dans des tons gris-noir, ne sont pas un effet
de nuit, comme l'Arrestation de Jésus; c'est un
prodige, marquant la mort du Christ. " A partir de
la sixième heure, dit saint Matthieu, les ténèbres
couvrirent toute la terre, jusqu'à la neuvième heure.
Et vers la neuvième heure, Jésus poussa un grand cri,
disant : Eli, Eli, lamma sabacthani ? "
Après avoir lancé cette dernière invocation à son Père,
Jésus-Christ est mort : sa tête retombe sur sa poitrine.
Mais une auréole, brillant dans les ténèbres,
marque encore sa divinité. Et dans le ciel, l'Éternel
montre qu'il ne l'a pas abandonné, en le bénissant
pour son sacrifice. De part et d'autre de Jésus,
les larrons expirent sur leur croix; plus loin
encore, dans les coins supérieurs de la miniature,
le soleil à gauche, la lune à droite,
sont voilés par la mystérieuse éclipse.
Au pied de la croix, on distingue dans l'obscurité une
foule de personnages. A gauche, la Vierge, soutenue
par saint Jean, s'évanouit dans sa douleur. Au-dessus
d'elle, le centurion, frappé des prodiges qui se
produisent, met la main sur son cœur, pour dire :
" Vraiment, celui-ci était fils de Dieu. " Et de
l'autre côté de la croix, le soldat à la masse d'armes
regarde avec étonnement le crucifié et semble rendre
le même témoignage. Toute la scène, sans avoir la
beauté simple de l'Arrestation, ni sa perfection
technique, est empreinte d'un grand pathétique.
Dans les marges, trois petits médaillons sont consacrés
aux prodiges qui accompagnèrent la mort du Christ.
En haut, à droite, un astronome cherche dans le ciel
la raison de cette obscurité subite. Plus bas, le voile
du Temple se déchire.
Et sous la miniature, on voit des morts ressuscités
sortir de leur tombeau.

[F. 153r]

Eus in ad
iutorium
meum in
tende.

Domine ad adiu
uandum me festina
Gloria patri et fi
lio et spiritu sancto.
Sicut erat in prin
cipio et nunc et semp
et in secula seculorum
Amen. ymnus.
eata xpi passi
o sit nra libe
ratio ut per hanc nob
gaudia sint parata
celestia.
Gloria xpo domino
qui pendens in patibu
lo clamans emisit spi
ritum saluans que mun
dum perditum.

aus honor xpo ue
ditor et sine causa prodi
to passo mortem pro
populo miseiro pati
bulo. Amen. antiplo.
aborauit.

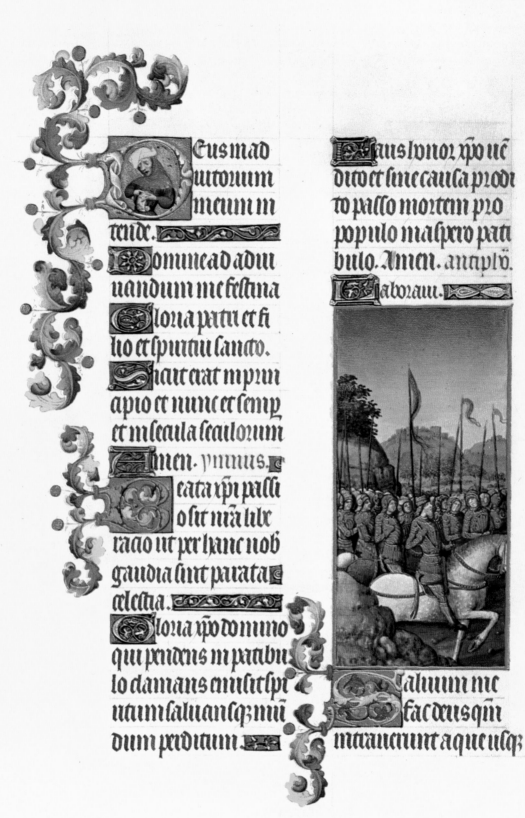

aluum me
fac deus qm
intrauerunt aque usq

116. PSAUME LXVIII

*Jean Colombe n'a pas choisi pour son enluminure
les premiers versets de ce psaume, malgré
les facilités qu'ils lui offraient : " Sauve-moi, Seigneur,
car les eaux me viennent jusqu'au cou.
Je suis enlisé dans la fange d'un gouffre et je n'ai
pas d'endroit où me tenir. " La troupe de cavaliers
qui se dirige, lances et bannières dressées,
de la gauche vers la droite, semble correspondre
au passage suivant du cantique : " Ils sont
plus nombreux que les cheveux de ma tête, ceux
qui me haïssent sans cause. Ils sont puissants
ceux qui veulent me perdre. " Le nombre et
la puissance de l'ennemi sont en effet bien marqués
par le peintre; une foule d'hommes d'armes,
soigneusement cuirassés, s'étage derrière les
cavaliers dorés du premier plan.*

[F. 153v]

117. LA DESCENTE DE CROIX

Encore deux miniatures en regard : la Descente
de Croix par Paul de Limbourg et ses frères,
et la Mise au Tombeau par Jean Colombe.
La Descente de Croix est peut-être la plus belle
de cette série colorée et lumineuse qu'ont peinte
les Limbourg pour les Heures de la Passion.
Ce grand ciel pur où se dressent les croix donne
un éclat particulier à la peinture, que rehaussent
les couleurs, harmonieusement mariées, des
vêtements : le vermillon de l'homme qui est sur
l'échelle, le rouge vif de la Madeleine agenouillée,
le rose du Juif au turban et le bleu profond de la Vierge.
Tandis que les larrons demeurent attachés à leur
gibet, dans la pose qu'ils avaient dans les Ténèbres,
trois hommes montés sur des échelles descendent
dans leurs bras le corps du Christ mort. Ce groupe
rappelle, avec quelques différences, la Descente
de Croix de Simone Martini qui faisait partie
du même polyptyque que la Marche au Calvaire
et qui se trouve aujourd'hui au Musée d'Anvers.
Au pied de la croix qu'elle étreint,
se tient à genoux la Madeleine,
ses beaux cheveux blonds répandus
sur son manteau : autre rappel de Simone Martini,
cette fois dans le Coup de lance,
toujours du même polyptyque;
ici la ressemblance est beaucoup plus frappante.
A gauche, la Vierge est debout, dans une attitude
de noble résignation, contemplant le corps de son Fils;
et à côté d'elle, saint Jean tend les bras vers Jésus.
A droite, de saintes femmes regardent
la scène et s'émeuvent : elles ont le même type que
les jeunes femmes qui se trouvent derrière Marie
dans l'Adoration des Mages; la Vierge elle-même,
n'est pas sans rapport avec celle-ci. Tout en bas,
on voit ces enfants qui déjà figurent dans les miniatures
précédentes des Limbourg et qu'ils ont en commun
avec Simone Martini : enfants indifférents ou amusés,
qui font contraste avec la gravité de la scène.

[F. 156v]

118. LA MISE AU TOMBEAU

Ici, par cet éclairage crépusculaire, chargé de nuages sombres, Jean Colombe a su rendre la grandeur tragique de la scène où le Fils de Dieu est descendu au tombeau. Sur le ciel livide, où le soleil couchant met des reflets orangés, se détachent les trois croix au sommet du Calvaire. Les larrons ne sont toujours pas dépendus; et les échelles s'appuient encore sur la croix du Christ. On a apporté le corps de Jésus jusqu'au tombeau offert par Joseph d'Arimathie. Celui-ci et Nicodème enveloppent le Christ dans un linceul; et d'un geste maternel, la Vierge prend le corps entre ses bras, tandis qu'ils disposent le drap mortuaire. Un vase d'aromates, apporté par Nicodème, est placé près du tombeau; et Marie-Madeleine, agenouillée, oint la main de Jésus avec ce mélange de myrrhe et d'aloès, tandis que Marie de Cléophas, également à genoux pour les mêmes soins, contemple le visage du Christ. D'autres saintes femmes prient à la tête du tombeau; saint Jean soutient la Vierge penchée vers son Fils; et à droite, dans cet homme affligé, il faut sans doute reconnaître saint Pierre, repentant d'avoir renié son Maître. Les attitudes sont belles; un jour blafard éclaire les visages. Saint Jean se détache sur le fond sombre du Calvaire, au bord duquel glisse un dernier rayon de soleil.

Tout est composé pour donner à cette scène son caractère dramatique. Faut-il pourtant faire des réserves? Le corps du Christ, centre de la miniature, paraît bien raide, à côté de celui que les Limbourg ont peint en regard. Si le visage de Marie de Cléophas est touchant, d'autres sont moins expressifs, parfois presque ingrats. On touche ici au défaut principal de Jean Colombe, qui est sensible dans trop de miniatures. Un rien manque donc pour que ce tableau soit parfait. Il n'en reste pas moins que cette miniature, émouvante par les attitudes, saisissante par ses effets de lumière, est une des plus belles de Jean Colombe.

[F. 157r]

119. PSAUME LVII

Ce poème fut composé par David lorsque, fuyant
la colère de Saül, il se réfugia dans une caverne.
David ne devrait donc pas être encore couronné.
Quant à la caverne, elle est remplacée par
une gracieuse chapelle et un autel.
" Aie pitié de moi, ô Dieu, aie pitié de moi
car mon âme cherche en toi un refuge.
Je m'abrite à l'ombre de tes ailes
jusqu'à ce que soit passée la tourmente. "
Ce sont les ailes d'un ange bleu,
au-dessus de l'autel, qui servent d'abri à David.
Sur la gauche, un groupe d'hommes gesticulant et
complotant personnifient les ennemis contre lesquels
David demande protection au Seigneur.
Si l'enluminure est de Jean Colombe,
les majuscules à fond d'or et les rinceaux des marges
appartiennent aux artistes du duc de Berry.

[F. 157v]

*Après les Heures de la Passion, le manuscrit se termine
par une suite chronologique de messes consacrées
aux principales fêtes de l'année.
La première est la messe de Noël,
celle des trois messes appelée messe du jour.
Le sujet en est indiqué par la lettrine, où est
peinte la Nativité, et par le texte qui la suit :*
Puer natus est nobis, *" un enfant nous est né, un
enfant nous est donné ",
début de l'Introït, emprunté au prophète Isaïe.
La miniature représente la célébration d'une messe,
qui n'a rien de particulier que les détails pittoresques
des célébrants et de l'assistance. Elle rentre dans la
catégorie des peintures assez médiocres, telles
que* la Pentecôte, l'Enterrement de Raymond
Diocrès, le Saint Sacrement, *dont Jean Colombe
a dû laisser le soin à l'un de ses aides. Il est possible
qu'elle ait été esquissée, tout au moins pour la partie
architecturale, par les Limbourg : les fines
colonnettes du chœur, les minces statues dorées entre
les vitraux, les compartiments de la voûte le
laisseraient supposer. Toutefois, Jean Colombe serait
revenu sur cette esquisse, comme le montre l'angelot
peint sur la clef de voûte, qui est du type des
figures qui lui sont propres et qui porte, détail
caractéristique, l'écu de gueules à la croix d'argent,
armes de la Savoie.
L'officiant est à l'autel, lisant l'évangile du jour; un
diacre et un sous-diacre l'assistent; deux prêtres sont
agenouillés à gauche, dans les stalles. A droite, la
maîtrise groupée autour du lutrin, chante l'office.
Deux femmes, l'une coiffée d'un hennin, l'autre
d'une simple coiffe, suivent la messe dans leur livre.
Derrière elles, on aperçoit la foule des assistants.
Au-dessus d'elle, se dresse un buffet d'orgue, portant
son instrument, dont on distingue la " montre ".
Enfin, tout en haut du chœur, trois anges paraissent
entre les vitraux, pour se joindre à la célébration
de la Nativité.*

[F. 158r]

Ter natus super humerum eius et no
est nobis et cabitur nomen eius ma
filius datus gni consilij angelus. ps
est nobis cuius imperium Cantate domino cantꝭ

121. LA TENTATION DU CHRIST

*Cette miniature figure en tête du premier dimanche
de carême, dont l'évangile, emprunté à
saint Matthieu, rapporte que Jésus, après avoir jeûné
quarante jours dans le désert, fut tenté par le diable.
« Le diable le transporta encore sur une haute
montagne et lui montra tous les royaumes du monde
et leur gloire et lui dit : « Tout cela, je te le donnerai
si, tombant à mes pieds, tu m'adores. »*

*Il faut avouer que Paul de Limbourg et ses frères,
pour plaire à leur protecteur, ont exagéré la
disproportion entre la scène et son cadre : la tentation
est, en effet, reléguée dans le fond, tout en haut de la
miniature; et ce que l'on voit au premier plan,
dans tous ses détails, c'est le château de
Mehun-sur-Yèvre, dont le duc de Berry,
qui l'avait fait construire,
était fier, à juste titre. C'était « l'une des
plus belles maisons du monde », dit Froissart, qui
rapporte que le prince aimait à y deviser de sculpture
et de peinture avec son « imagier », André Beauneveu,
« le meilleur en nulle terre ».*

*Voici donc, de la main de celui des trois frères
qui se plaisait aux détails d'architecture, ce magnifique
château, très exactement reproduit, comme le montre
la comparaison avec un dessin fait en 1737,
alors qu'il subsistait encore en son entier. Nous y
retrouvons ses tours élancées, solidement assises sur
leur glacis baignant dans l'eau, ses couronnements
finement ajourés au-dessus des mâchicoulis, l'élégance
des bâtiments d'entrée, derrière lesquels on aperçoit
le haut de la chapelle et sa flèche.*

*Tout autour de la montagne où le diable a transporté
Jésus, se dressent des châteaux et des villes, que l'on
croit reconnaître : Poitiers, Bourges, Montlhéry,
la forteresse de Nonette en Auvergne; ce sont là les
richesses que le démon offre à Jésus, s'il veut bien
l'adorer; et des bateaux y évoquent encore d'autres
contrées du monde.*

*Dans ce paysage varié, la fantaisie des Limbourg
n'a pas perdu ses droits : l'ours, le cygne symbolique
de Jean de Berry y ont trouvé place : des cygnes
voguent sur les eaux de l'Yèvre qui entoure le château;
et un ours, grimpé dans un arbre, est assiégé
par un lion : allusion peut-être à quelque épisode
belliqueux, la vie du duc de Berry, au milieu de son
faste, n'ayant pas été exempte de soucis guerriers,
tout récemment encore, où il fut assiégé à Bourges
par les Bourguignons et aussi où il dut se réfugier
au cloître Notre-Dame, pour éviter les excès
de la populace déchaînée.*

[F. 161v]

*Jean Colombe a peint ici l'histoire de la Cananéenne,
telle que la rapporte l'évangile de saint Matthieu :
" Jésus, sortant du pays, se retira dans le territoire
de Tyr et de Sidon. Et voici qu'une femme
cananéenne, venue de cette région, lui cria :
" Aie pitié de moi, Seigneur, fils de David!
Ma fille est cruellement tourmentée par le démon. "
Mais il ne lui répondit un mot; et ses disciples,
s'approchant de lui, lui demandaient :
" Renvoie-la, car elle crie après nous. "
Il répondit : " Je n'ai été envoyé qu'aux
brebis perdues de la maison d'Israël. " Mais elle vint
se prosterner devant lui, en disant : " Seigneur,
secours-moi! " Il répondit : " Il n'est pas bon
de prendre le pain des enfants et de le jeter aux
chiens. " Mais elle dit : " Oui, Seigneur; mais les
petits chiens mangent les miettes qui tombent de
la table de leurs maîtres. " Alors Jésus lui dit :
" Femme, ta foi est grande; qu'il soit fait selon ton
désir. " Et sa fille fut guérie à l'heure même. "
Jean Colombe a suivi les détails du texte de
saint Matthieu dans cette double miniature, où il a
représenté les deux mouvements successifs de
Jésus. En haut, le Christ se détourne de la Cananéenne
qui l'implore, tandis que les apôtres la regardent
avec dédain et prient Jésus de la renvoyer. A droite,
dans la maison, on aperçoit la fille couchée,
tourmentée par le démon et qu'une femme cherche à
apaiser. Dans la petite miniature du bas, la
Cananéenne est prosternée devant le Christ, qui,
frappé de sa confiance persévérante,
fait un geste d'acquiescement;
et les apôtres paraissent partager ses sentiments.
Cette miniature est une des plus belles de Jean Colombe:
les attitudes sont naturelles, les expressions bien
rendues, le coloris agréable, le décor plaisant et
pittoresque, où l'on voit les détails du village :
la maison à pans de bois, le jardin et ses carrés, les
bâtiments de ferme, le puits, le pigeonnier, l'église au
long toit à appentis, et naturellement le paysage
de montagnes qui est une des virtuosités de
Jean Colombe.*

[F. 164r]

Cette miniature, qui illustre l'évangile
du 3ᵉ dimanche de carême, est la première
d'une série de quatre, assez particulière dans l'œuvre
des Limbourg. Cette série se distingue à
la fois par son coloris, par ses fonds et même par
l'expression du Christ. Le coloris en est plus
soutenu et plus chaud; les fonds, pour trois des
scènes, sont à ramages,
ornement archaïque que les artistes
n'ont employé pour aucune des autres grandes
miniatures, sauf l'Annonciation, mais seulement pour
de petites; le Christ, enfin, a un visage
légèrement différent de celui qu'ils lui ont donné dans
les Heures de la Passion : il est plus brun
et offre une expression plus grave. Cependant, si l'on
analyse les images de cette série, on y remarque,
surtout dans la Résurrection de Lazare,
des personnages qui rappellent l'Adoration des Mages
ou les Heures de la Passion. Si donc cette série a été
exécutée spécialement par un des frères, on y
retrouve, malgré tout, la direction et peut-être la
main du chef d'atelier, que l'on suppose être
Paul de Limbourg.
Les évangiles synoptiques sont fort brefs
sur la guérison du possédé. Saint Luc, dont le texte
a été choisi pour ce dimanche, dit seulement :
" Jésus chassa un démon, qui était muet.
Et quand il eut chassé le démon, le muet parla, et
les foules furent dans l'admiration. " Les Limbourg
ont peint cette scène dans une sorte de chapelle
qui rappelle par certains détails le prétoire de
la Flagellation : les colonnes en sont très minces, les
voûtes sont peintes en bleu, et de chaque côté
du pinacle sont figurées des statuettes. Le Christ
bénit le jeune possédé, qui se débat dans les bras
de sa mère, tandis que le démon s'échappe de sa tête,
sous la forme d'un petit dragon ailé et noir.
Dans le fond de la chapelle et au dehors se pressent
des personnages coiffés et vêtus à l'orientale,
qui s'émerveillent de ce prodige.
Le fond archaïque est somptueux : à ramages
dorés sur fond bleu. Il rappelle celui de la petite
miniature de saint Luc, dans les extraits des évangiles,
et aussi plusieurs de ceux des Belles Heures.

[F. 166r]

Dominica tertia in xl.

...tati mei semper
...ad dominum et
...epe euellet de laqo

...pedes meos respice in me et
...miserere mei quoniam u
...nicus et pauper sum ego. p
...d te domine leuaui an

Etate iherusa   gaudete cum leticia qui
lem et conue   tristicia fuistis ut exultetis
niam faciete   et saciemini ab uberibus
omnes qui diligitis eam   consolacionis uir. ps.

124. LA MULTIPLICATION DES PAINS

*Cette miniature illustre l'évangile du quatrième
dimanche de carême, dimanche dit de Laetare,
à cause du premier mot de l'Introït. Cet évangile
est tiré de saint Jean et rapporte le miracle de la
Multiplication des Pains, première image de
l'Eucharistie. Jésus s'était retiré au-delà de la mer
de Tibériade, sur une montagne. Voyant la multitude
qui l'avait suivi, il dit à Philippe : " Où achèterons-
nous des pains pour nourrir ces gens ? " André lui dit :
" Il y a là un enfant qui a cinq pains d'orge et
deux poissons. Mais qu'est-ce pour tant de gens ? "
Jésus lui répondit : " Faites-les s'étendre. " Ils furent
ainsi environ cinq mille à s'asseoir à terre.
Alors Jésus prit les pains, rendit grâces et les leur
distribua; il leur donna de même
des poissons autant qu'ils en voulurent.
Telle est la scène qui est peinte ici. L'enfant présente
les deux poissons; André porte les cinq pains, et
Jésus bénit cette nourriture, qu'il va distribuer
à la foule assise à terre. Dans le ciel, Dieu le Père
bénit la scène et le Saint-Esprit, sous la forme d'une
colombe, l'unit au Christ pour marquer la
collaboration de la Trinité à ce miracle.
Cette miniature est peinte comme la précédente
et les suivantes, dans un style légèrement archaïque,
qui le rapproche autant des* Belles Heures de
New York *que de la suite des Heures de la Passion
ou de l'Adoration des Mages dans les* Très riches
Heures : *le fond bleu à ramages, les amples
vêtements où sont engoncés les personnages sont
caractéristiques de cet archaïsme.
Dans les marges, les Limbourg ont peint avec beaucoup
de vérité et de fidélité des ancolies et des escargots.
A la différence des ornementations florales que l'on
voit dans les autres miniatures, cette décoration
occupe à peu près toute la marge. Elle se rapproche
ainsi des habitudes des miniaturistes de cette époque
et semble être encore une marque d'archaïsme.*

[F. 168v]

125. LA RÉSURRECTION DE LAZARE

Pour le cinquième dimanche de carême, dit de la Passion, les Limbourg ont illustré le chapitre émouvant de saint Jean où sont rapportées la mort et la résurrection de Lazare. Jésus est grave. Il a pleuré en voyant le sépulcre de son ami; et les personnes présentes ont remarqué : " Voyez comme il l'aimait. " Marthe lui avait dit : " Seigneur, si tu avais été là, mon frère ne serait pas mort. " Et il lui avait répondu : " Je suis la résurrection et la vie. Celui qui croit en moi, quand il serait mort, vivra. " Puis Marie, se jetant à ses pieds, lui avait dit à son tour : " Seigneur, si tu avais été là, mon frère ne serait pas mort. " Et Jésus, la voyant pleurer, ainsi que tous les assistants, s'était troublé, lui aussi. Il fit lever la pierre du tombeau et cria, d'une voix forte : " Lazare, viens dehors! " Et aussitôt le mort se leva.

Les Limbourg ont peint le geste d'appel du Christ. Lazare se dresse, regardant Jésus, vers qui se tourne aussi Marie, dans un geste plein de foi. Entre elle et lui, Marthe se penche vers son frère. Certains des assistants pleurent encore; d'autres se bouchent le nez, confirmant le mot de Marthe : " Il sent déjà ", jam foetet. D'autres enfin s'émerveillent.

Les Limbourg ont peint Lazare au milieu de la scène, admirable de corps et de pose. Par sa beauté classique, il rappelle quelque statue antique, quelque dieu de fleuve, à demi couché, dont ils ont dû s'inspirer : Adam déjà, dans le Paradis terrestre, avait une attitude paraissant inspirée de l'antique. Marie a la robe rouge orangé de la Madeleine dans la Descente de Croix. Au-dessus du Christ, des femmes ont le type de celles qui se tiennent derrière la Vierge dans l'Adoration des Mages. Ainsi, quelle que soit la diversité des styles dans les différentes parties du livre d'heures, une unité se manifeste, qui est la marque propre des trois frères, l'œuvre du chef d'atelier, vraisemblablement Paul de Limbourg.

[F. 171r]

udica me deus et diser
ne caulam meam de
gente non sancta ab
homine iniquo et doloso eri

pe me quia tu es deus meus
et fortitudo mea. ps̄
mitte lucem tuam et
ueritatem tuam ipa me de

omne ne ló
gi faaas au
xilium tuum
a me ad deffensionem meá

aspice litxia me de ore leonis
et a cornibus unicorniun
humilitatem meam. pʒ.
Deus deus meus respice ī

126. L'ENTRÉE A JÉRUSALEM

*Le cycle du carême se termine avec cette miniature
qui illustre l'office du dimanche des Rameaux,
de " Pâques fleuries ", comme on disait autrefois.
Les Limbourg y ont suivi l'évangile de saint Matthieu,
qu'on lit à la bénédiction des Rameaux. " Comme ils
approchaient de Jérusalem et qu'ils étaient arrivés
à Béthanie, vers le Mont des Oliviers, Jésus envoya
deux de ses disciples en leur disant : " Allez au village
qui est devant vous, et vous trouverez aussitôt une
ânesse attachée et un ânon avec elle; détachez-les
et amenez-les-moi... " Les disciples allèrent et firent
comme Jésus leur avait demandé. Ils amenèrent
l'ânesse et l'ânon, mirent sur eux leur manteau
et l'y firent monter. La plupart des gens dans la foule
étendirent leur manteau sur le chemin;
d'autres coupaient des branches d'arbres et
en jonchaient la route... "
Voici donc Jésus monté sur l'ânesse, que suit à côté
son ânon. Il bénit les gens qui étendent devant lui
leurs vêtements à terre. Un petit personnage est monté
sur un arbre et jette les branches qu'il a coupées :
c'est Zachée, que nomme l'évangile apocryphe de
Nicodème, le même Zachée que saint Luc montre
grimpé sur un sycomore pour mieux voir passer
le Christ. Les disciples suivent Jésus :
au premier rang, on reconnaît saint Pierre.
De toute cette série de miniatures au style
si particulier, celle-ci est peut-être celle
qui a le caractère le plus archaïque,
bien qu'elle n'ait pas de fond à ramages.
C'est surtout sensible dans la perspective.
La porte de la ville rappelle celle des* Petites Heures
ou telles autres des Belles Heures. *Les murailles
remontent vers la gauche, suivant cette vue cavalière
qui était le procédé habituel à l'époque, que les
trois frères ont encore employé dans les* Belles Heures.
*L'aspect de Jérusalem est d'ailleurs curieux et rappelle,
par ses tours et ses campaniles, quelque paysage
siennois. Remarquons enfin que les miniaturistes
ont évité, pour cette peinture où ils auraient été de
mise, les effets de foule qu'ils ont su grouper et
diversifier dans la série des Heures de la Passion.*

[F. 173v]

*Pour illustrer la messe de Pâques, Jean Colombe s'est
inspiré, avec quelque liberté, de l'évangile de
saint Matthieu, qui se lit à l'office du samedi saint :
" Quand le premier jour après le sabbat commença à
luire, Marie-Madeleine et l'autre Marie (femme
de Cléophas) vinrent voir le tombeau. Et voici qu'il
se fit un grand tremblement de terre. Un ange du
Seigneur descendit du ciel et, s'approchant, roula
la pierre; et il s'y tenait assis. Son aspect était comme
l'éclair et son vêtement comme la neige. Les gardes
tremblèrent de frayeur et ils devinrent comme morts. "
Jean Colombe a peint les gardes renversés à terre,
tout autour du tombeau qui, il faut le remarquer,
n'est pas ouvert. L'ange, aux ailes et au visage
flamboyants, est debout sur la pierre. A côté de lui se
tient Jésus : figuration symbolique, dont la bannière,
signe de la résurrection, confirme le caractère;
l'ange ne va-t-il pas dire, suivant saint Matthieu, aux
deux Marie : " Jésus, que vous cherchez, n'est point
ici : il est ressuscité, comme il avait dit. " Le Christ
fait un geste, comme pour éloigner l'ange, le même
geste qu'il fait avec la Madeleine, dans la marge
inférieure. Le jour se lève à peine : l'aube blanchit
l'horizon et les premières lueurs de l'aurore
commencent à colorer le ciel nocturne. A gauche, des
rochers et plus près, les bords du tombeau en
reçoivent des reflets, cependant qu'à droite, la ville
reste encore dans l'ombre. Comme dans la Mise au
Tombeau, mais d'une moindre manière, Jean
Colombe s'est plu à ces effets de lumière où il excelle
et qui accentuent le caractère de la scène.
Dans les marges, entre les rinceaux, il a peint
de petits personnages, en rapport avec le sujet de
la miniature : à gauche et en haut, des anges en
prière; à droite, les deux Marie portant des parfums;
en bas, l'apparition du Christ à la Madeleine. Jésus
tient à la main, non plus l'oriflamme, symbole
de sa victoire sur la mort, mais, suivant une tradition
récente, inspirée sans doute par les Mystères, une
bêche : saint Jean dit, en effet que Marie-Madeleine
le prit d'abord pour un jardinier. D'un geste, Jésus
lui dit de ne pas approcher :* Noli me tangere...,
*" ne me touche pas, car je ne suis pas encore monté
vers mon Père ". Tel est aussi
le sens qu'il faut vraisemblablement donner
à son geste pour écarter l'ange.*

[F. 182v]

Efurrexi et ad   tuam alleluya mirabilis
huc tecum   facta est sciencia tua alla
sum allelu   alleluya. psalmus
ya posuisti super me manu   Domine probasti me:

*La miniature illustrant l'office de l'Ascension est
de la main de Jean Colombe. L'évangile
de la messe, extrait de saint Marc, est très
bref à ce sujet : " Le Seigneur Jésus, après leur avoir
parlé (aux apôtres) fut élevé dans le ciel. "
Mais le texte des Actes des apôtres qui sert d'épître
est plus explicite : " Ayant ainsi parlé, il fut
élevé devant eux et une nuée le déroba
à leurs yeux. Et comme ils le regardaient
monter dans le ciel, voici que deux hommes
parurent auprès d'eux, vêtus de blanc, et dirent :
" Hommes de Galilée, pourquoi restez-vous à regarder
au ciel ? Ce Jésus qui, du milieu de vous, a
été enlevé dans le ciel, viendra de la même manière
que vous l'avez vu s'en aller. "
Jean Colombe, dans cette miniature,
prend quelques libertés avec ce texte, tout en suivant
parfois de vieilles traditions iconographiques.
Les onze disciples dont parle saint Marc,
(Judas n'ayant pas encore été remplacé),
sont bien là, à droite : on reconnaît notamment
saint Jean et saint Pierre. Mais à gauche, on voit aussi
la Vierge, que toujours les artistes, en France,
ont fait figurer dans cette scène, et encore
de saintes femmes, et d'autres disciples. Les uns et
les autres sont à genoux, comme dans la fresque
de Giotto à l'Arena de Padoue. Jean Colombe
a même suivi une ancienne et curieuse tradition :
entre les deux groupes, il a marqué sur un rocher
l'empreinte des pieds du Christ, que l'on
montrait aux pèlerins sur le Mont des Oliviers.
Les deux hommes vêtus de blanc, venus pour
annoncer la parousie, ne figurent pas sur la
miniature. Seuls, des troupes d'anges accompagnent
Jésus dans son ascension, sans s'adresser aux apôtres.
Le Christ monte dans le ciel, non pas caché
par la nuée, ni les bras étendus, comme on le
représente souvent, mais semblant bénir de la droite
ses disciples, vers qui il baisse les yeux, et tenant
de la gauche une mince croix symbolique.*

[F. 184r]

129. LA PENTECÔTE

*Jean Colombe a placé en tête de l'office
de la messe de la Pentecôte une miniature où
la place centrale est occupée par la Vierge,
à genoux, un livre ouvert devant elle, renouvelant
dans un format plus restreint la scène qu'il avait déjà
inscrite au début des Heures du Saint-Esprit.
Tous les apôtres n'ont pas la place d'y
figurer et le cénacle présente un aspect différent
de la grande miniature. Seule la colombe,
le rayonnement d'or de l'Esprit-Saint et le
vêtement de la Vierge sont semblables. Nous sommes
ici dans le chœur d'une chapelle modeste,
clos de grilles de fer forgé et de barrières de bois.
L'architecture y demeure de classique style gothique,
malgré la fantaisie de la décoration des piliers.
Les grandes lettrines et les rinceaux datent aussi
de la seconde époque d'ornementation
du manuscrit.*

[F. 186r]

Plem sunt celi et terra gloria
tua osanna mexcellsis.◼◼◼◼
Benedictus qui venit
mnomine domini osanna
mexcellsis.◼◼◼◼◼◼◼◼◼
Agnus dei quitollis.
Agnus dei quitollis.
Agnus dei qui tollis pec
cata mundi dona nobis pacē.
Psallite domino qui as-
cendit sup celos celorum
ad orientem alleluya.◼◼◼◼
Resta postrom
nobis quesum
omnipotens et miseri
cors deus utque uisibi
libus misterijs sumē
di percepimus inuisi
bili: consequamur ef
fectu. P dominum.

In die sancto pentecost.
officium.◼◼◼◼◼◼◼◼◼

Spiritus dni
replevit orbē
terrarum alla
et hoc continet omnia scien
ciam habet vocis alla alla
alleluya. psalmus◼◼◼
Exurgat deus et dissipent
inimica eius et fugiant qui
oderunt eum a facie eius.
Spiritus domini reple.
Gloria patri et filio et spi.

130. LE CHRIST BÉNISSANT LE MONDE

Bien que la fête de la Trinité ait été étendue
en 1334 à l'église universelle par le pape
Jean XXII, Jean Colombe n'a pas voulu en illustrer
le début de l'office par la représentation des
Trois Personnes. Il lui a suffi de représenter le
Christ bénissant de la main droite le globe surmonté
d'une croix qu'il porte dans sa main gauche.
Le Fils se détache sur une église
dont les fenêtres sont garnies
de vitraux de couleurs à grandes figures. La tête
du Christ au front dégarni, malgré une opulente
chevelure qui pend sur la nuque, et sa barbe à double
pointe, sont conformes à la mode du temps.
Le grand " B " qui commence l'introït de la messe
de la Trinité date également de l'époque
de Jean Colombe.

[F. 188r]

tua osanna mexcelsis.

Benedictus qui uenit i
nomine domini osanna i
exelsis.

Agnus dei qui tollis pec.

Agnus dei qui tollis pec.

Agnus dei qui tollis pec
cata mundi dona nobis.
pacem. communio.

Hec est repente de celo
sonus aduenientis spi uehe
mentis ubi erant sedentes
alla et repleti sunt omnes
spu sco loquentes magnali
a dei alleluya alla. postco.

Sancti spiritus
corda nra diie
mundet infusio: et sui
rous intima aspersio
ne fecundet. per eunde.

De sancta trinitate Intro
itus.

Enedicta
sit sancta tri
nitas atqz
indiuisa unitas confitebi
mur ei quia fecit nobiscu
misericordiam suam.

Benedicamus piem
et filium cum sancto spu
laudemus et superexaltem
eum in secula. psalmus.

Benedicta sit sancta tri

uni grauus qz dri filius scis
quoq spiritus quia frat no
bis aum miam suam. scē.
anctifica que
sumus domie
deus nr per tuu nomi
nis inuocaconem
huius oblaconis ho
siam et percam nosrz
ipos tibi perfice munus
eternum. per do
Sanctus Sanctus scis.
dominus deus sabboth. ple
ni sunt celi et terra gloria
tua o sāna in excelsis. Bñd.
gnus dei qui tollis.
gnus dei qui tollis.
gnus dei qui tollis. cō.
ndicamus deum celi z
coram omnibz uiuentibz
confitebimur ei quia fecit
nobiscum miam suam

rostaat nobis
ad salutem cor
pris et anime domine
deus huius sacramen
ti susepao et sempiter
ne sancte trinitatis eā
dem qz moniidme uni
tatis confessio. per do
In festo sacramenti. iiit.

shuut eos erad
ipe frumenti
alleluya et de

131. LA COMMUNION DES APÔTRES

Instituée officiellement par le pape Urbain IV,
la Fête-Dieu ou Fête du Saint-Sacrement eut
son office presque entièrement composé par Thomas
d'Aquin. L'introït, tiré du psaume LXXXI rappelle :
" Il les a nourris de la fleur du froment ",
annonce de l'Eucharistie.
Le Christ, le buste et la tête penchés vers l'avant,
donne la communion à un de ses apôtres agenouillé,
qui est probablement saint Pierre. Derrière lui,
un personnage imberbe, d'aspect plus jeune, est
sans doute saint Jean. Les autres attendent leur tour,
mains jointes. Le décor sculpté de la pièce où se déroule
la cérémonie est assez curieux.
La lettrine se rapporte à la même Cène; le Christ
présente l'hostie au-dessus du calice.

[F. 189v]

yrieleison. iij.

ylyeleison. iij.

yrieleison. iij.

loria in excelsis. oro.

Oncede nos fa
mulos tuos q̄
sumus domine deus
perpetua mentis et cor
pous sanitate gaudere
et gloriosa beate marie
semper uirginis inter
cessione a presenti libe
rari tristicia et eterna
perfrui leticia. per xp̄m.

Lectio libri sapie.
Ab inicio et ante
secula creata sum: et
usq̄ ad futurum seculū
non desinam: et in hī
tacione sancta coram
ipo ministraui. Et sic
in syon firmata sum:

alue sancta
parens enixa
puerpera regē
qui celum terramq̄ regit in
secula seculorum ps̄.

Post partum uirgo in
uiolata permansisti dei geni
tur intercede pro nobis.

alue sancta parens.

loria p̄ri et filio et sp̄.

alue sancta parens.

132. LA VIERGE ET L'ENFANT

*Le talent de Jean Colombe paraît gagner vers
la fin du livre. C'est une de ses meilleures et plus
savoureuses illustrations qu'il a placée en tête de
l'office de la Sainte-Vierge. Se détachant devant un
décor architectural bien français, Marie, yeux
mi-clos, jette un regard de biais sur l'enfant qu'elle
porte dans ses mains et qui s'accroche à son corsage,
peut-être pour le dégrafer. La Vierge est couronnée
et ses longs cheveux d'un blond ardent tombent
sur son manteau bleu.
Le front, très haut, est dégarni
volontairement, suivant la mode du temps.*

[F. 191v]

133. L'EXALTATION DE LA CROIX

*Les soldats perses de Chosroès s'étaient emparés
de Jérusalem et avaient emporté dans leur pays le
bois de la vraie Croix découverte par sainte Hélène.
L'empereur byzantin Héraclius avait réussi à
la leur reprendre et l'avait rendue à Jérusalem,
en l'an 629, la portant lui-même sur ses épaules
jusqu'au Calvaire. La solennité de l'Exaltation de
la Croix prit dans la liturgie une place
particulièrement importante à partir de cette date.
Dans les deux personnages à genoux, sur la gauche,
on peut voir l'empereur Constantin et Hélène,
comme le croyaient le duc d'Aumale et Paul Durrieu.
On pourrait penser aussi à Héraclius et à sa seconde
épouse, l'impératrice Martine, qui le suivait dans ses
expéditions. Deux hommes à longues barbes, armés
de bâtons, se trouvent de chaque côté de l'autel
sur lequel la croix est exposée. L'un, tête recouverte
d'un très haut chapeau pointu,
tient un ostensoir dans sa main gauche.
L'autre paraît compter des besants.
La croix à deux branches, ornée de pierres de couleurs,
repose sur un lézard vert dont la queue s'enroule
autour d'elle. Il faut peut-être y reconnaître la
" croix au serpent " qui faisait partie du trésor
du duc de Berry. Trois moines noirs, vêtus de
manteaux de même ton que leur visage, viennent
chacun à leur tour adorer la sainte Croix. Trois
statues d'or couronnent l'édifice qui surmonte la Croix :
Moïse au centre et, selon Durrieu, deux prophètes.
En plus de Constantin et d'Héraclius, la fête de
l'Exaltation de la Croix rappelle le souvenir de
saint Louis qui porta lui-même, nu-pieds, les reliques
de la Croix qui lui avaient été remises.
Or saint Louis est l'ancêtre infiniment respecté de la
famille royale à laquelle appartient le duc de Berry.*

[F. 193r]

Os autem glo
riam oportet
in cruce domi
ni nri ihu xpi in quo est sal-

uita et resurrectio nra per que
saluati et liberati sumus al
leluya alla. ps.
Deus misereatur nri et be

*Cette miniature, qui prend place dans la série
des offices des saints, est due aux Limbourg, qui,
suivant leur habitude, ont placé la scène dans un
paysage connu. Le culte de saint Michel est
très ancien : il existait déjà chez les Juifs.
Il s'est développé chez les chrétiens sous l'influence de
l'Apocalypse. C'est lui qui apparaît au
chapitre XII, pour défendre la Femme et son enfant
des attaques du grand dragon roux : "Alors eut
lieu une grande bataille dans le ciel : Michel
et ses anges combattaient contre le dragon, et le
dragon se battait contre lui avec ses anges;
mais ils ne purent rien et depuis
ils ne parurent plus dans le ciel."
C'est ce combat dans le ciel que les Limbourg ont
représenté; mais ici c'est un combat singulier
de saint Michel contre le dragon. Le grand dragon
roux paraît de feu; saint Michel est tout flamboyant
de son corps, le bord de ses ailes est de feu, et
il laisse dans l'air des nuées de feu. De son épée, il
vient de frapper le dragon, dont le sang coule,
et qui détourne la tête avec rage.
Le combat a été situé par les Limbourg au-dessus
du Mont-Saint-Michel, qui était au Moyen Age
un sanctuaire célèbre et un lieu de pèlerinage.
D'autres miniaturistes ont représenté ce site, mais
les trois frères ont été parmi les premiers à le faire.
Une image, toutefois, s'en trouvait déjà
dans les Heures du maréchal Boucicaut, dont l'auteur
inconnu — peut-être Jacques Coene — a exercé une
influence indéniable sur l'art des Limbourg.
Mais ceux-ci ont, plus que lui, cherché à représenter
le Mont dans tous ses détails. On retrouve
ici la grande abbatiale, avec son chœur, son
transept, ses clochers; les bâtiments de l'abbaye
et les grands contreforts qui soutiennent les murs;
au pied, les maisons du village, ceint de remparts :
c'est aujourd'hui encore la même silhouette
pittoresque. Au loin, se voit l'îlot de Tombelaine,
qui était alors fortifié.
Une charmante lettrine, des médaillons d'anges,
dont l'un porte les armes du duc de Berry, complètent
la page. Le duc avait sans doute un culte pour saint
Michel. Le dauphin Charles (le futur Charles VII),
qu'il soutenait, prit ce saint pour emblème
en 1419; et son fils, Louis XI, créera en son honneur
un ordre de chevalerie,
qui durera jusqu'à la Révolution.*

[F. 195r]

135. LE PAPE ET LES CARDINAUX

Pour la fête de la Toussaint, Jean Colombe
choisit de nous montrer les chefs de l'Église militante.
Le pape vêtu de blanc, coiffé de la tiare à triple
couronne, fait un geste de bénédiction,
les deux derniers doigts de la main droite repliés.
Devant lui, debout, des cardinaux
dont les robes rouges tirent sur l'orange.
Derrière le trône pontifical,
un certain nombre de personnages représentent les
membres de l'église moins haut placés.
Dans le contexte de la fin du XVe siècle, et de la
cour de Savoie, la représentation de Tous les Saints
sous la forme du pape siégeant entouré de ses
cardinaux est compréhensible. Elle l'aurait été moins
vers 1415, époque où la chrétienté de l'Occident était
déchirée par le Grand Schisme.
Dans la lettrine, un serein visage de Christ
correspondant au type adopté par Jean Colombe.

[F. 197r]

(Pages suivantes)

136-137

« Ces deux pages sans miniatures
sont des prières extraites de l'Office de la Toussaint.
Il existe une différence frappante
entre le décor marginal exécuté
au temps du duc de Berry sur le premier feuillet
et celui datant de l'époque du duc de Savoie,
sur le second. »

[Fs 198v - 199r]

mewelis.

Agnus dei qui tollis
Agnus dei qui tollis
Agnus dei qui tollis pcca
mundi dona nobis pacem.
Benediate omnes cõ.
angeli domini domino ym
num dicite et superexalta eu
in secula. post comunio.
Beati michaelis
archangeli nos
tessione suffulti suppli
ces te domine deprecam̃
ut quod honore prose
quimur contingam̃.
et mente. per dominum
nrm ihm xpm filium
tuum. Qui tecum ui
uit et regnat.
In festo omnium scõ
num. Intraitus.

Gaudeamus
omnes in
domino die
festum celebrantes sub ho
nore omnium sanctorum
de quus sollempnitate gau
dent angeli et collaudant
filium dei. ps.
Exultate adiutorio nõ
iubilate deo iacob.
Gaudeamus omnes

Dextera tua domine glorificata est in virtute dextera manus tua confregit inimicos. Alleluia. Versus.

Iudicabunt sancti naciones et dominabuntur populis et regnabit illorum rex in eternum. Sed Matheum.

In illo tempore: cum videns ihesus turbas: ascendit in montem. Et cum sedisset: accesserunt ad eum discipuli eius. Et aperiens os suum: docebat eos dicens. Beati pauperes spiritu: quia ipsorum est regnum celorum. Beati mittes. quoniam ipsi possidebunt terram. Beati qui lugent: quoniam ipsi consolabuntur. Beati qui esuriunt et sitiunt iusticiam: quia ipsi saturabuntur. Beati misericordes: quoniam ipsi misericordiam consequentur. Beati mundo corde: quoniam ipsi deum videbunt. Beati pacifici: quia filii dei vocabuntur. Beati qui persecucionem paciuntur propter iusticiam: quia ipsorum est regnum celorum. Beati estis cum maledicent vobis homines et persecuti vos fuerint et dixerint omne malum adversus vos mencientes: propter me. Gaudete et exultate quia merces vestra: copiosa est celis

Redo in unum. of
mirabilis deus in scis
suis deus israel ipe dabit uir
tutem et fortitudinem plebi
sue benedictus deus. Secreta
unera tibi one
...nie deuocionis
offerimus que et pro
cunctorum tibi grata
sint honore sanctoru
et nobis salutaria te
miserante reddantur.
per dominum.

Sanctus sctis. Sctis
dominus deus sabboth.
plein sunt celi et terra glia
tua osanna in excelsis.

Benedictus qui uenit
in nomine domini osana
in excelsis

Gnus dei qui tollis

peccata mundi miserere nob.
Gnus dei qui tollis pec
cata mundi miserere nobis
Gnus dei qui tollis pec
cata mundi dona nobis
pacem. communio.

Gaudete iusti in dno
alleluya. rectos decet collau
dacio alleluya. post con.

Da quesumus do
mine fidelibus
populis omnium sco
rum semper ueneraci
one letari: et eorum p
petua supplicacione
muniri. per dominu
nrm ihm xpm filium
qui tecum uiuit et reg
in unitate spiritus sci
deus per omnia secula
seculorum. Amen. pro
defunctis. Introitus

eyeleison. iij
pueleison. iij. oᴢo.
nclina domine
aurem tuam
ad preces nras
quibus misericordiam
tuam supplices depreca
mur ut animam famu
li tui et animas famu
lorum famulariumq́
quas de hoc seculo mig̃
ir iussisti in pace ac lu
cis regione constituas
et sanctorum tuorum
iubeas esse consortes per
dominium. lectio libri
ſt machabeoru.

Requiem eter
nam dona eis
domine et lux
perpetua luceat eis. pſ.
Tedecet hympnus deus
in ſyon: et tibi reddetur uo
tum in iherusalem. Exaudi
deus orationem ad te omnis
caro ueniet.

Requiem eternam do.
kyrieleison. iij

n diebus illis: uir
fortissimus iudas
collacione facta duode
cim dragmas argenti
misit iherosolimam

138. FUNÉRAILLES

L'office des morts nous fait pénétrer,
grâce à Jean Colombe,
dans le chœur d'une église où officie un prêtre.
Deux clercs, à genoux, servent la messe
et d'autres se tiennent auprès du cercueil
recouvert d'un drap noir à croix blanche.
Le mort squelettique de la lettrine
complète l'ensemble.
La conception générale de la scène
est assez éloignée des représentations
de services funéraires du début
du XVe siècle, étudiées par Millard Meiss.
Il y a davantage de profondeur chez Jean Colombe,
le cercueil paraissant même d'une longueur anormale.
Mais la miniature de l'enlumineur du duc de Savoie
supporte la comparaison avec les créations de
ses prédécesseurs, tant dans sa composition générale
que dans ses détails.

[F. 199v]

139. LE MARTYRE DE SAINT ANDRÉ

Le livre d'heures du duc de Berry se termine
par l'office de saint André et par celui de
la Purification. Saint André était un des patrons
célestes du duc de Berry et l'emplacement d'une
grande miniature avait été réservé dès le vivant
du prince, pour n'être exécutée que par Jean Colombe.
Frère de saint Pierre, saint André aurait prêché
en Palestine, puis en Scythie, en Thrace et en Achaïe.
Se trouvant à Patras, André aurait réussi à convertir
la femme du proconsul Égée et entamé une
longue discussion avec ce dernier. Égée lui ayant
enjoint de sacrifier aux dieux et saint André ayant
refusé, il avait été mis en prison, puis attaché par
les mains et par les pieds à une croix de forme
différente de celle du Christ. André resta pendant
deux jours entiers sur cette croix, devant une foule
évaluée par la Légende dorée à vingt mille personnes,
auxquelles il continuait de prêcher durant son
supplice. Il refusa d'être détaché de la croix
et mourut le troisième jour,
dans une lumière éblouissante descendue du Ciel.
A cheval ou debout, les hommes écoutent et regardent
saint André en assistant à son supplice. Au loin,
une ville qui veut être Patras, avec ses maisons, ses
remparts et ses églises. Sur le registre inférieur,
deux scènes relatant, la première, la capture et
l'emprisonnement d'André sur l'ordre du proconsul,
la seconde, le supplice de la bastonnade infligé
au saint avant sa mise en croix. Cette miniature
est la dernière du manuscrit qui s'achève par
deux feuillets laissés blancs
malgré la préparation des réglures.

[F. 201r]

BIBLIOGRAPHIE

BASTARD (Auguste de)
Librairie de Jean de France, duc de Berry.
Paris, 1834.

BOBER (H.)
The Zodiacal Miniature of the
« Très riches Heures » of the Duke of Berry-
Its Sources and Meaning.
*Journal of the Warburg and Courtauld
Institutes, XI, 1948, p. 1-34.*

Chefs-d'œuvre des peintres-enlumineurs de
Jean de Berry et de l'école de Bourges.
*Catalogue de l'exposition du musée de
Bourges (1951).*

CHENU (P.)
Note sur un manuscrit dont les illustra-
tions sont attribuées à Jean Colombe.
*Mémoires de la société des antiquaires du
Centre, t. XL et XLI.*

DELISLE (L.)
Les livres d'heures du duc de Berry.
*Gazette des Beaux-Arts, XXIX, 1884,
p. 97-110, 281-292, 391-405.*

DIMIER (L.)
L'art d'enluminure, traité du XIVe siècle,
en latin. Traduction.
Paris, 1927.

DURRIEU (P.)
Les Très riches Heures de Jean de France,
duc de Berry.
Paris, 1904.

DURRIEU (P.)
Les Très riches Heures du duc de Berry
conservées à Chantilly, au Musée Condé,
et le Bréviaire Grimani.
*Bibliothèque de l'École des Chartes,
LXIV, 1903, p. 321-328.*

DURRIEU (P.)
Les petits chiens du duc Jean de Berry.
*Académie des Inscriptions et Belles-lettres,
Comptes rendus, 1909, p. 866-875.*

FRY (R.E.)
On Two Miniatures by the Limburg.
Burlington Magazine, VII, 1905, p. 435-445.

GORISSEN (Fr.)
Jan Maelwael und die Brüder Limburg.
Gelre, LIV, 1954, p. 163-221.

GUIFFREY (J.)
Inventaires de Jean, duc de Berry.
(1401-1416). Paris, 1894-1896, 2 vol.

GUIFFREY (J.)
Médailles de Constantin et d'Héraclius
acquises par Jean, duc de Berry.
Revue numismatique, 1890.

HULIN de LOO (G.)
Les Très riches Heures de Jean de France,
duc de Berry, par Pol de Limbourg et
ses frères.
Bull. Soc. hist. et archéol. de Gand, XI, 1903.

JOLY (H.)
Un missel franciscain attribué à Jean
Colombe.
*Bibliothèque de la ville de Lyon. Documents
manuscrits typographiques, iconographiques,
Lyon. 1925, Fasc. V.*

LEHOUX (F.)
Jean de France, duc de Berry, Sa vie.
Son action politique *(1340-1416).*
Paris, 1966-1968, 4 t.

LECOY DE LA MARCHE (A.)
L'art d'enluminer, manuel technique du
XIVe siècle.
Paris, 1887.

LONGNON (J.)
L'enlumineur Paul de Limbourg et sa
famille.
Journal des Savants, 1956, p. 175-188.

MALO (H.)
Les Très riches Heures du duc de Berry.
Paris, 1933.

MARINESCO (C.)
Deux empereurs byzantins en Occident, Manuel II et Jean VIII Paléologue.
Académie des Inscriptions et Belles-lettres, Comptes rendus, 1957, p. 23-35.

MEISS (M.)
French painting in the Time of Jean de Berry.
Londres et New York, t. I, 1960, t. II, 1968 et tomes à paraître.

MEISS (M.)
A lost Portrait of Jean de Berry by the Limburgs.
Burlington Magazine, CV, 1963, p. 51-63.

MEISS (M.)
The Exhibition of French Manuscripts of the XIII-XVI centuries at the Bibliothèque nationale.
Art Bulletin, XXXVIII, 1956, p. 187-196.

MÉLY (F. de)
Les Très riches Heures du duc de Berry et les « Trois grâces » de Sienne.
Gazette des Beaux-Arts, 1912, septembre, p. 195-201.

MEURGEY (J.)
Les principaux manuscrits à peintures du Musée Condé à Chantilly.
Paris, 1930.

MORAND (E.)
La ville de Riom et la fête de Mai dans Les Très riches Heures du duc de Berry.
Bulletin de l'Académie des Sciences, Belles-lettres et Arts de Clermont-Ferrand, 1954, p. 1-5.

PÄCHT (O.)
The Limburgs and Pisanello.
Gazette des Beaux-Arts, 1963, p. 109-122.

PORCHER (J.)
Les Belles Heures de Jean de France, duc de Berry.
Paris, 1953.

PORCHER (J.)
Jean Colombe.
Médecine de France, XXV, 1951, p. 29-32.

PORCHER (J.)
Les manuscrits à peintures en France du XIIIe au XVIe siècle.
Paris, 1955.

PORCHER (J.)
Les Très riches Heures du duc de Berry.
Paris, 1950.

PRADEL (P.)
Michel Colombe, le dernier imagier gothique.
Paris, 1953.

RORIMER (J.J.) et FREEMAN (M.B.)
Les Belles Heures de Jean de France, duc de Berry.
Paris et New York, 1958.

SCHILLING (R.)
A Book of Hours from the Limburg Atelier.
Burlington Magazine, LXXX-LXXXI, 1944, p. 20, 24.

Les Très riches Heures du duc de Berry. Le calendrier, par Pol de Limbourg et Jean Colombe.
Verve, 1940, n⁰ 7.

Les Très riches Heures du duc de Berry. Images de la vie de Jésus.
Verve, 1943-1944, n⁰ 10.

WINCKLER (F.)
Ein neues Werk aus der Werkstatt Pauls von Limburg,
Repertorium für Kunstwissenschaft, XXXIV. 1911, p. 536-543.

WINCKLER (F.)
« Pol de Limbourg in Florence ».
Burlington Magazine, LVI, 1930, p. 95.

CETTE TROISIÈME ÉDITION
DES TRÈS RICHES HEURES DU DUC DE BERRY
A ÉTÉ ACHEVÉE D'IMPRIMER
SUR LES PRESSES DE DRAEGER,
MAITRE IMPRIMEUR A MONTROUGE,
EN SEPTEMBRE 1975

D. L. 1969-IV - I. 6419 - E. 5775